© Dirk Steinhöfel

Andreas Steinhöfel wurde 1962 in Battenberg geboren, arbeitet als Übersetzer und Rezensent und schreibt Drehbücher – vor allem aber ist er Autor zahlreicher, vielfach preisgekrönter Kinder- und Jugendbücher, wie z. B. »Die Mitte der Welt«. Für »Rico, Oskar und die Tieferschatten« erhielt er u. a. den Deutschen Jugendliteraturpreis. Nach Peter Rühmkorf, Loriot, Robert Gernhardt und Tomi Ungerer hat Andreas Steinhöfel 2009 den Erich Kästner Preis für Literatur verliehen bekommen. 2013 wurde er mit dem Sonderpreis des Deutschen Jugendliteraturpreises für sein Gesamtwerk ausgezeichnet und 2017 folgte der James-Krüss-Preis. Andreas Steinhöfel ist als erster Kinder- und Jugendbuchautor Mitglied der Deutschen Akademie für Sprache und Dichtung.

Andreas Steinhöfel

Beschützer der Diebe

Außerdem von Andreas Steinhöfel im Carlsen Verlag lieferbar:

Anders

David Tage Mona Nächte

Defender

Der mechanische Prinz

Die Mitte der Welt

Dirk und ich

Es ist ein Elch entsprungen

Froschmaul – Geschichten

Glitzerkatze und Stinkmaus

My Brother and I

O Patria Mia!

Paul Vier und die Schröders

Rico, Oskar und die Tieferschatten

Rico, Oskar und das Herzgebreche

Rico, Oskar und der Diebstahlstein

Rico, Oskar und das Vomhimmelhoch

Rico, Oskar und das Mistverständnis

Trügerische Stille

Wenn mein Mond deine Sonne wäre

Veröffentlicht im Carlsen Verlag

Copyright © 1994, 2006, 2007 Carlsen Verlag GmbH, Hamburg

Umschlagbild: Regina Kehn

Umschlaggestaltung: formlabor

Corporate Design Taschenbuch: bell étage

Gesetzt aus der Bembo von Dörlemann Satz, Lemförde

ISBN 978-3-551-35665-9

Inhalt

Kapitel 1
Sommerstadt

Romeo saß bewegungslos zwischen *Pippi Langstrumpf* und *Kalle Blomquist* unter dem Tisch. Seine feinen Schnurrhaare zitterten kaum merklich, als er witternd die Nase in die Luft hob.

»Füller«, sagte Dags leise und eindringlich. »Wo ist der Füller, Romeo?«

Die schwarzen Knopfaugen der Ratte blitzten, während ihr nackter Schwanz unruhig über den Parkettboden schlug. Winzige Staubpartikel wirbelten auf und schimmerten im Sonnenlicht, das durch das hohe weiße Fenster fiel.

Dags hatte den Füller am Ende eines kunstvoll verschachtelten Labyrinths versteckt. Die Seitenwände der Gänge, die sich durch das ganze Zimmer erstreckten, bestanden aus aufgestapelten Büchern, Musikkassetten, CD-Hüllen und Comic-Alben. Romeo hatte bereits zwei erfolglose Anläufe unternommen, den Irrgarten zu durchqueren, und es sah nicht so aus, als wäre er dazu bereit, auch noch einen dritten Versuch zu starten. Er kratzte sich hinter den Ohren und zuckte zusammen, als aus dem Flur das Klingeln des Telefons ertönte.

»Füller«, wiederholte Dags ungeduldig. »Jetzt mach endlich! Ich hab dir das verdammte Ding schon mindestens zehnmal unter die Nase gehalten!«

Dagmars Vater hatte Romeo aus dem Labor mitgebracht, als die Ratte kaum sechs Wochen alt gewesen war, und ihn damit vor dem traurigen Schicksal seiner dort gezüchteten Artgenossen bewahrt, die als Versuchstiere für Krebsexperimente dienten. Dags hatte das kleine schwarzweiß gefleckte Knäuel vom ersten Augenblick an gemocht und Romeo hatte ihre Zuneigung ebenso rasch erwidert. Ihre gegenseitige Liebe war zum Ausgangspunkt einer Reihe von Experimenten geworden, von denen bisher leider keines zum Erfolg geführt hatte. Das einzige Kunststück, das Romeo beherrschte, bestand darin, sich auf die Hinterbeine zu stellen und seinen Oberkörper hin und her zu wiegen, wenn man ihm etwas zu fressen anbot. Dags fand, er wirke dabei ungefähr so graziös wie ein besoffener Balletttänzer.

Sie seufzte und beugte sich zu Romeo herab. Er sprang auf ihre rechte Hand, lief wieselflink den Arm hinauf und kuschelte sich, auf der Schulter angekommen, an ihren Hals. Vorsichtig balancierte sie über das Labyrinth hinweg zur Fensterbank, wo der Rattenkäfig stand, und hielt Romeo dabei einen Käsecracker unter die Nase.

Wiegen, wiegen, wiegen ... Dann griffen die zierlichen Pfoten zu und ein Sprühregen aus Krümeln rieselte auf den Boden herab.

»Ich weiß, dass du nicht so blöd bist, wie du tust«, murmelte Dags und kraulte Romeo unter dem Kinn. »Irgendwann wird es klappen.«

Der Kopf ihrer Mutter erschien im Türspalt. »Gudrun ist am Telefon.« Sie ließ den Blick über das Chaos schweifen, das sich zu ihren Füßen ausbreitete. »Was veranstaltest du denn hier schon wieder?«

»Ich versuche Romeo dazu zu bringen, sich an einmal gesehene und benannte Gegenstände zu erinnern und sie dann unter erschwerten Bedingungen wiederzufinden.«

»Aha …« Frau Kreuzer runzelte die Stirn.

»Es ist vollkommen harmlos«, sagte Dags.

»Das hast du auch behauptet, als du letztes Jahr den Orientteppich im Arbeitszimmer mit deinem selbst entwickelten Fleckenmittel behandelt hast.«

»Falsche Formel«, verteidigte sich Dags schuldbewusst. Das Fleckenmittel hatte tiefe Löcher in den sündhaft teuren Teppich geätzt und ihr den dreimonatigen Verlust ihres Taschengelds beschert.

»Nun ja«, erwiderte Frau Kreuzer. »Ich hoffe, du findest unter diesen erschwerten Bedingungen alles wieder, was du in dem Labyrinth verarbeitet hast. Womit ich sagen will —«

»— dass ich den Krempel schleunigst aufräumen soll, ich weiß.« Dags nahm Romeo von der Schulter, setzte ihn in den Käfig und klappte den Drahtdeckel herab. »Mach ich gleich.«

»Und … Dagmar?«

»Hmm?«

»Kümmere dich ein bisschen um Gudrun, ja?« Der Kopf ihrer Mutter war verschwunden, bevor Dags antworten konnte.

Einen Moment lang blieb sie noch am Fenster stehen und sah hinaus. Ein Windstoß fuhr durch die Zweige der dicht belaubten Bäume, die den Blick auf die Fassaden der gegenüberliegenden Jugendstilhäuser versperrten.

Ausgerechnet Gudrun …!

Dags stieß einen leisen Fluch aus. Romeo, der sich am Maschendraht des Käfigs aufgerichtet hatte und sie mit glänzenden Augen beobachtete, gab ein klägliches Fiepen von sich. Kurz entschlossen nahm sie ihn wieder aus seinem Gefängnis, setzte ihn zurück auf ihre Schulter und schlappte hinaus in den Flur, wo das Telefon stand.

Gudrun Berger war ihre Cousine. Vor einem halben Jahr war sie mit ihrer geschiedenen Mutter aus einer westdeutschen Kleinstadt in den Ostteil Berlins gezogen, wo das Bankunternehmen, für das Frau Berger arbeitete, eine Filiale eingerichtet hatte. Seit dem Umzug waren Gudrun und ihre Mutter öfters bei den Kreuzers zu Besuch gewesen, während Dags und ihre Eltern nur einmal den Weg vom Westen in den Osten gemacht hatten. Dags hatte pflichtbewusst versucht sich mit ihrer Cousine anzufreunden, aber Gudrun war schweigsam und in sich zurückgezogen gewesen – eine Folge der Scheidung, wie Dagmars Vater vermutete. Nach einer Weile hatte sie jeden weiteren Annäherungsversuch aufgegeben. Ihr Vater hatte übrigens, wie Dags bei diesen Gelegenheiten festgestellt hatte, nicht viel mit seiner Schwester gemeinsam.

Außer einer Vorliebe für diese bescheuerten altmodischen Namen, dachte sie, als sie den Telefonhörer in die Hand nahm.

»Ja?«

»Hallo, Dagmar. Ich stehe auf dem Ku'damm, in der Nähe vom Café Kranzler?« Gudruns irritierende Art, Feststellungen wie Fragen klingen zu lassen, fiel Dags nicht zum ersten Mal auf und ging ihr gehörig auf die Nerven. »Ich dachte, du hättest vielleicht Lust mitzukommen.«

»Wohin?«

»Na ja, in den Zoo?«

»Da war ich schon mindestens zehnmal.«

»Oh.«

Eine Pause trat ein, in der Dags nichts hörte als Gudruns ruhiges Atmen und das gedämpfte Rauschen des Straßenverkehrs auf dem Kurfürstendamm, Berlins größter Einkaufsstraße und einstiger Promeniermeile. Romeo beschnupperte neugierig ihre Wange. »Warum bist du nicht gleich bis zu uns gekommen?«, unterbrach sie endlich die Stille.

»Das wollte ich. Ich, also, ich bin am Savignyplatz ausgestiegen und dann … dann hab ich mich verlaufen. Ich könnte aber noch mit dem Bus —«

»Nein, nein! Du bist ja sowieso schon fast am Zoo.« Dags überlegte schnell. »Weißt du, in welche Richtung du gehen musst, um zum Bahnhof zu kommen?«

»Ja.«

»Okay. Direkt am Bahnhofsvorplatz, rechts von den Bushaltestellen, ist ein McDonald's. Da treffen wir uns in zwanzig Minuten.«

»Ist gut.« Gudruns Stimme klang erleichtert. »Dann also bis gleich.«

Dieser Quatsch wäre mir erspart geblieben, wenn wir in Urlaub gefahren wären, dachte Dags, als sie den Hörer auflegte. Sie erinnerte sich an ihre Enttäuschung, als ihr Vater vor vier Wochen einen lang erwarteten Forschungsauftrag erhalten hatte, mit dem die geplanten Ferien in Ägypten ins Wasser gefallen waren. Herr Kreuzer würde für die nächsten Monate ans Labor gefesselt sein und Dagmars Mutter war durch nichts dazu zu bewegen, ihren Mann sich selbst zu überlassen.

»Du weißt doch, wie er ist«, hatte sie erklärt. »Wenn man nicht auf ihn aufpasst, verhungert er. Oder er geht im Pyjama ins Labor – wenn er überhaupt einen trägt – und wir haben eine Anzeige wegen öffentlicher Erregung am Hals.«

»Erregung öffentlichen Ärgernisses«, hatte Dags sie verbessert und dann vorgeschlagen: »Ich könnte ohne euch nach Ägypten fliegen. Claus fährt doch auch allein an die Atlantikküste.«

»Das ist etwas anderes, dein Bruder ist volljährig. Ich weiß, dass alle deine Freunde in Urlaub gefahren sind. Aber du erwartest doch nicht ernsthaft, dass ich dich mit deinen zwölf Jahren allein durch die Weltgeschichte reisen lasse?«

»Fast dreizehn.«

»Wenn überhaupt, kannst du bei einer dieser Ferienfreizeiten mitmachen. An der Ostsee ist es auch ganz nett.«

Dags hatte dankend abgelehnt. Als ihr Bruder kurz darauf mit seinen Freunden nach Frankreich aufgebrochen war, hatte sie in ihrem Zimmer gesessen, sich mit Schokolade vollgestopft und vor Wut geheult.

Und jetzt das, dachte sie. Statt Nil, Sphinx und Pyramiden unter afrikanischer Sonne ein Haufen Affenkacke im Berliner Zoo – und Gudrun. Schöne Aussichten …

»Was wollte Gudrun?«, rief ihre Mutter aus der Küche.

»Sich mit mir treffen, um in den Zoo zu gehen. Ich hole sie jetzt ab.«

»Du warst doch schon so oft im Zoo.«

»Soll ich mich nun um sie kümmern oder nicht?«

Der Satz klang gereizter, als sie beabsichtigt hatte. Ihre Mutter gab keine Antwort. Dags ließ Romeo in die geräumige, von ihr selbst angenähte und mit einem Reißverschluss versehene Innentasche ihrer Jeansjacke gleiten und musterte sich in dem Spiegel, der über dem Telefontisch hing. Ein blaues und ein braunes Auge blickten zurück – die einzig wirklich auffälligen Merkmale in ihrem runden Gesicht, das von einem Wust widerspenstiger rotbrauner Locken eingerahmt wurde. Die unterschiedliche Farbe ihrer Augen war ein genetischer Zufall. Die Chance, so auf die Welt zu kommen, hatte ihr Vater ihr irgendwann begeistert erklärt, lag bei eins zu einer Million. Dags fand diese Tatsache wenig tröstend. Sie steckte ihre Haare mit zwei bunten Plastikkämmen nach hinten und bemerkte dabei einen Pickel auf ihrer Stirn.

Scheißgenetik, dachte sie. Scheißsommer!

Die Geldbörse war aus braunem, makellos verarbeitetem Leder. Ohne sich umzusehen, nahm Olaf sie aus dem Regal und ließ sie mit einer geübten Handbewegung in die Gesäßtasche seiner Jeans gleiten. Einen Moment lang blieb er stehen und wartete, bis sein pochendes Herz sich beruhigt hatte. Dann schlenderte er ziellos weiter durch die breiten, von leiser Musik erfüllten Gänge des Kaufhauses, in das er gegangen war, um …

Um zu stehlen, dachte er.

Das ist ein wenig hässlich ausgedrückt, findest du nicht?, meldete sich eine Stimme in seinem Kopf. *Eigentlich wolltest du dich nur etwas umsehen, nicht wahr?*

Olaf zuckte resigniert die Achseln, als stehe er vor einem unsichtbaren Gesprächspartner, dem gegenüber er Rechenschaft ablegen musste. Er passierte einige sorgfältig dekorierte Tische, die sich unter Sonderangeboten von Turnschuhen, Reisetaschen und Sportbekleidung bogen. Vor einem Regal mit buntem Modeschmuck blieb er stehen, griff nach einer perlmuttfarben schimmernden Haarspange, die er in der vorderen rechten Hosentasche verschwinden ließ, und überlegte, wem er sie schenken sollte. Es fiel ihm niemand ein.

Er drängte sich weiter durch den Strom der vor ihm herlaufenden und ihm entgegenkommenden Menschen, durch Wogen von Parfüm, Deodorants und dem Geruch von frischem Schweiß und ging auf die gläserne Tür des Ausgangs zu. Eine dicke Frau in blauem Kleid kam ihm entgegen. Er wich ihr im selben Moment aus, in dem dicht hinter ihm eine seltsam hohe Stimme ertönte.

»So, mein junger Freund! Ich glaube, wir müssen uns mal ernsthaft unterhalten.«

Olaf drehte sich um. In seinem Magen breitete sich ein Gefühl aus, als befinde er sich in einem nach unten sausenden Fahrstuhl. Die Stimme und die Hand, die sich schwer auf seine Schulter gelegt hatte, gehörten einem kleinen Mann, der so unscheinbar war, dass er selbst in einem leeren weißen Raum kaum aufgefallen wäre. Die einzige Besonderheit im Durchschnittsgesicht des Kaufhausdetektivs war eine breite Narbe, die sich oberhalb seiner linken Augenbraue entlangzog, wo sie in einem unwirklichen Rot leuchtete.

Wie ein Bremslicht, dachte Olaf. Oder wie ein Betriebsunfall mit einem Lippenstift. Ein Kichern stieg in ihm auf, das er nur mit Mühe zurückhalten konnte.

»Du machst das nicht zum ersten Mal, oder?«, fragte der Detektiv. Aus seiner Stimme klangen Routine, Langeweile und eine Spur von Verachtung.

Olaf gab keine Antwort. Sein Magen hatte sich wieder beruhigt, der Fahrstuhl war am Boden angekommen. Eigentlich war es seltsam, überlegte er, dass er nicht schon viel früher erwischt worden war. Er machte sich nie die Mühe, sich während des Stehlens umzusehen und festzustellen, ob er vielleicht beobachtet wurde. Es war ihm nicht wichtig. Wichtig war nur die Stimme in seinem Kopf, die ihn unbarmherzig dazu antrieb, Dinge mitzunehmen, die ihm nicht gehörten.

Der Detektiv war so unauffällig vorgegangen, wie es seinem Äußeren entsprach. Keiner der Menschen um sie herum hatte bemerkt, dass er Olaf festgenommen hatte, keiner beachtete, wie er ihn zügig, die Hand noch immer fest auf seiner Schulter, vor sich her durch den Verkaufsraum schob. Niemand konnte ahnen, dass in wenigen Minuten, in irgendeinem engen Hinterzimmer, die Polizei einen etwas zu klein geratenen dreizehnjährigen Jungen mit braunen Augen, in Jeans und weißem T-Shirt, vernehmen würde.

Überrascht bemerkte Olaf, dass seine Augen sich mit Tränen füllten. Er hatte Angst vor der Polizei. Er wollte nicht vernommen werden und der Gedanke daran, was seine –

Vor ihnen blockierte die dicke Frau in dem blauen Kleid den Weg. Der Kaufhausdetektiv machte einen Schritt nach links, um an ihr vorbeizugehen, und der eiserne Griff auf Olafs Schulter lockerte sich. Es war die einzige Chance. Olaf riss sich los, wirbelte herum und rannte. Das Letzte, was er von dem Detektiv hörte, war ein überraschtes Keuchen. Dann stürzte er nach vorne, vorbei an funkelnden Spiegeln, an leise surrenden Rolltreppen und einem Stand, an dem Seidenkrawatten angeboten wurden, wie er sie seinem Vater letzte Weihnachten geschenkt hatte. Er hatte sie von seinem Taschengeld gekauft.

Er hetzte durch die erste der beiden Schwingtüren des Ausgangs und über die Warmluftschranke hinweg – verrückt, dass sie auch im Sommer in Betrieb war –, stieß die zweite Tür auf und schoss hinaus auf den breiten Gehsteig. Er drängelte sich durch Passanten und Straßenverkäufer, die auf breiten Bauchläden Sonnenbrillen und billiges Spielzeug anboten, dann rannte er über den Ku'damm, ohne den Verkehr zu beachten. Bremsen quietschten, mehrere Autos hupten, neugierige Touristen drehten sich um und sahen gleich darauf wieder fort.

Weiter, um die nächste Ecke herum, nur nicht umdrehen! Links von ihm schob sich dichter Verkehr durch die flimmernde Nachmittagshitze über die Joachimstaler Straße in Richtung der großen Kreuzung vor dem Bahnhof Zoo. Die Luft war heiß und stickig, sie roch nach Ozon und Abgasen. Olaf rannte weiter und wich dabei den entgegenkommenden Passanten nach links und nach rechts aus. Nur wenige Schritte vor ihm ging ein Mädchen über den Gehsteig. Lange blonde Haare fielen ihr glatt über die Schultern auf den Rücken. Er schlug einen Haken nach links, um sie zu überholen.

Er war noch sechs Schritte von dem Mädchen entfernt, als es eine Hand in die Hosentasche steckte. Etwas blitzte im Sonnenlicht und fiel zu Boden. Das Mädchen blieb völlig unerwartet stehen und bückte sich. Es war zu spät, um noch auszuweichen.

∿∧

Weiße Federwolken spiegelten sich in den hohen, von schwarzen Streben durchzogenen Glaswänden des Bahnhof Zoo. Guddie war erleichtert, als sie über die Köpfe der anderen Fußgänger hinweg das Gebäude am Ende der Straße sah. Als Dagmar sie gefragt hatte, ob sie den Weg dorthin kenne, hatte sie gelogen. Es war ihr peinlich, dass sie sich immer noch kaum in Berlin auskannte – nicht einmal auf dem Ku'damm –, obwohl sie schon über ein halbes Jahr hier wohnte. Auf den Straßen und Gehsteigen herrschte ein einziges Gewimmel. Sie wich einem jungen, sonnengebräunten Mann aus, der ein kleines Kind auf dem Arm trug. Das Kind griff seinem Vater an die Nase. Er lachte und gab ihm einen Kuss auf die Stirn und Guddie fühlte, wie ihr Herz einen kleinen Sprung machte.

Sie hatte ihren Vater zum letzten Mal vor fast einem Jahr gesehen. Die kaum verborgene Gleichgültigkeit, mit der er sie von jeher behandelt hatte, war nach der Scheidung von ihrer Mutter in offenes Desinteresse umgeschlagen. Ihr Vater legte keinen Wert darauf, von seinem Besuchsrecht Gebrauch zu machen. Er vermied den Kontakt mit Guddie und beantwortete ihre Briefe nicht. Schließlich hatte sie ihn angerufen. Ihr Vater hatte am Telefon nur kurz erklärt, er würde ein neues Leben beginnen, in dem für niemanden, weder für seine ehemalige Frau noch für seine Tochter, Platz sei.

Als ihre Mutter sie Weihnachten fragte, ob sie etwas dagegen hätte nach Berlin zu ziehen, hatte Guddie nur wortlos den Kopf geschüttelt.

Zwei Monate später, als sie ihre Mutter zum ersten Mal in den Stadtteil begleitet hatte, in dem sie in Zukunft wohnen würden, war sie dennoch enttäuscht gewesen. Graubraune Häuser mit zerbröckelnden Fassaden hatten sie begrüßt. Absturzgefährdete Balkons hingen drohend über den Gehsteigen und hier und da stand ein ausgeschlachteter Trabi zwischen den geparkten, auf Hochglanz polierten Wagen, die in dichten Reihen die Straßenränder säumten.

Grau, grau, grau … Sie konnte sich nicht vorstellen, wie das Leben für die Bewohner im Osten gewesen war, bevor mit den ersten Ladengeschäften etwas Farbe in ihren Alltag eingedrungen war.

»Farbe und Unruhe und die fragwürdigen Segnungen des Kapitalismus«, war der Kommentar ihrer Mutter gewesen. Sie hatten in Malerklamotten in der erst zur Hälfte gestrichenen neuen Küche gestanden, umgeben von Bauschutt, Tapetenrollen und einem Durcheinander verschiedener Werkzeuge, und abwechselnd kalte Ravioli aus einer Konservenbüchse gefischt. »Stell dir vor, dein gewohntes Leben wird von heute auf morgen umgekrempelt, ohne dass du gefragt wirst, ob dir das recht ist. So fühlen sich die Leute hier!«

Guddie hatte an ihr eigenes Leben gedacht, das ebenfalls umgekrempelt worden war, ohne dass jemand sie danach gefragt hatte, und wieder hatte sie nur genickt. Seit der Scheidung ihrer Eltern hatte sie ein Gefühl, als läge ein eiserner Ring um ihr Herz. Der Umzug in das kalte dezembergraue Berlin hatte diesen Ring nicht gelockert, wie sie zunächst gehofft hatte, sondern nur noch fester angezogen. Sie war noch nie so unglücklich gewesen.

Aber dann war der Frühling gekommen und alles hatte sich verändert. Als wolle die Stadt einen Ausgleich zu den tristen Wintermonaten bieten, war sie förmlich in Farben, Blüten und Blättern explodiert. Wolken von Robinienduft waren durch die breiten Straßen geweht, hatten über den Parks gehangen und die Nächte mit mildem Geruch erfüllt. Langsam hatte Guddie begonnen sich mit ihrer neuen Heimat anzufreunden. Und langsam, ganz langsam, hatte der eiserne Ring um ihr Herz sich gelockert.

Sie schlenderte durch den brausenden Verkehrslärm und zwischen eilig vorüberhastenden Passanten an einem Imbiss vorbei, wo der Geruch von gebratenem Fleisch ihr in die Nase stieg. Hamburger, Dönerkebabs, Böreks und belegte Fladenbrote: Es war einer der Vorteile Berlins, dass man an jeder Straßenecke etwas zu essen kaufen konnte.

Sie kramte in ihren Hosentaschen herum, zog eine Handvoll Kleingeld daraus hervor und zählte die Münzen. Es würde für einen Hamburger oder einen Milchshake bei McDonald's reichen, vielleicht sogar für beides, aber sie musste aufpassen, genug Geld für den Eintritt in den Zoo übrig zu behalten. Sie wollte nicht in die Verlegenheit kommen, sich von Dags etwas leihen zu müssen. Ein Zweimarkstück entglitt ihren Fingern und fiel zu Boden, als sie das Kleingeld zurück in die Hosentasche steckte.

»Verdammt!«

Guddie blieb inmitten des Stroms der um sie herumlaufenden Menschen stehen und bückte sich nach der Münze. Sie kam nicht dazu, sie aufzuheben. Der heftige Schlag, den sie plötzlich in ihrem Rücken verspürte, katapultierte sie zur Seite und ließ ihr gerade noch genug Zeit, einen überraschten Schrei auszustoßen, bevor sie schmerzhaft mit den Knien auf dem Asphalt aufprallte.

Kapitel 2

Eis und Spiele

»Tut mir echt leid!«, wiederholte Olaf zum mindestens zehnten Mal und zum zehnten Mal fuhr er sich verlegen durch die dunklen Haare. »Ich konnte nicht schnell genug anhalten.«

»Ist schon gut, war meine Schuld.« Das Mädchen löffelte langsam das Eis aus der Waffel, das er ihr spendiert hatte, um sein schlechtes Gewissen zu beruhigen. Sie saß neben ihm auf einem Mauervorsprung, ließ ihre blauen Augen unablässig über das Gewimmel huschen, das um den Bahnhof Zoo herum herrschte, und plötzlich lächelte sie ihn an. »Ich hätte nicht einfach stehen bleiben dürfen.«

Sie war verdammt hübsch. Als sie mit einer raschen Handbewegung die langen blonden Haare aus ihrem Gesicht strich und ihn anlächelte, entschied Olaf, dass sie der beste Zusammenstoß war, den er je gehabt hatte. Er dachte an den wesentlich unangenehmeren Zusammenstoß mit dem Kaufhausdetektiv und warf einen nervösen Blick über die Schulter des Mädchens in Richtung Ku'damm. Er befürchtete immer noch, der kleine Mann mit der leuchtend roten Narbe könnte plötzlich aus der

Menschenmenge auftauchen, die von allen Seiten auf den Bahnhof zuströmte. Und was würde er dem Mann sagen?

Für einen Moment schweiften seine Gedanken ab. Mit dem Stehlen hatte er vor einem Jahr begonnen, aber das Gefühl, das er dabei empfand, war immer noch dasselbe: Es begann mit einem leichten Kribbeln im ganzen Körper, das sich fast bis zur Übelkeit steigerte. Dann kam die Stimme, ihm wurde schwindelig und … sein Kopf setzte aus. Er hörte einfach auf zu denken, und was dann geschah, war wie ein Film. Oder wie ein Traum, an den man sich nur undeutlich erinnert. Es waren nicht seine Hände, die er sah, wenn sie nach etwas griffen, um es dann schnell in seinen Hosen- oder Jackentaschen verschwinden zu lassen. Und oft, nachdem er atemlos ein Kaufhaus oder einen Supermarkt verlassen hatte, starrte er Dinge an, von denen er gar nicht mehr wusste, dass er sie mitgenommen hatte. Sinnloses, unbrauchbares Zeug. Das meiste davon verschenkte er an die Obdachlosen, die um den Bahnhof Zoo herumlungerten oder die verschiedenen U- und S-Bahn-Stationen bevölkerten. Was übrig blieb, warf er in den nächsten Mülleimer. Er behielt nie etwas für sich.

Denk jetzt nicht darüber nach.

Er wandte sich wieder dem Mädchen zu. »Wie heißt du?«, fragte er.

»Gudrun.« Sie knabberte an der Waffel. »Aber Guddie

tut's auch. So nennen mich … So haben mich zu Hause meine Freunde genannt.«

»Du bist nicht aus Berlin?«

Sie schüttelte den Kopf und machte eine Pause, als überlegte sie, ob sie sich Olaf anvertrauen könne oder nicht. »Meine Eltern sind geschieden«, sagte sie schließlich. »Bis vor einem guten halben Jahr haben meine Mutter und ich in einer Kleinstadt in Hessen gelebt, in der Nähe von Frankfurt.«

Es musste schwer sein, das gewohnte Leben gegen ein neues einzutauschen, überlegte Olaf. Noch schwerer, wenn man aus einer Kleinstadt in das riesige, uferlose Berlin gestoßen wurde, das sich an jeder Straßenecke mit neuen Eindrücken präsentierte. Er versuchte sich vorzustellen, wie es wäre, Berlin zu verlassen – in einer fremden Stadt zu leben, eine ungewohnte Schule zu besuchen. Es gelang ihm nicht.

»War es schlimm?«, fragte er. »Das mit der Scheidung?«

Guddie nickte. »Mein Vater hatte gute Anwälte. Er hat alles mitgenommen, wie ein Dieb.« Die blauen Augen leuchteten unwirklich. »Ich hasse Diebe.«

In den letzten Worten lag so viel Verachtung, dass Olaf nur mit Mühe seine Bestürzung verbergen konnte. Es war besser, so schnell wie möglich das Thema zu wechseln.

»Ehm … In welchem Kiez wohnst du?«

»Du meinst den Stadtteil? In Friedrichshain.«

»Und was machst du hier?«

»Ich bin verabredet.«

»Mit einer Freundin?«

Guddie schüttelte den Kopf. »Mit meiner Cousine. Ich kenne sie kaum, aber ich glaube, sie ist ganz nett. Ein bisschen komisch vielleicht. Sie hat eine Ratte, die sie ständig mit sich herumschleppt und mit der sie Experimente veranstaltet, und sie interessiert sich für alles mögliche wissenschaftliche Zeugs. Ihr Vater ist Professor. Er arbeitet an einem Krebsforschungsinstitut.« Sie schluckte den letzten Waffelrest hinunter.

Olaf nickte, etwas überrascht von dem plötzlichen Redeschwall. Er überlegte, ob die Cousine genauso hübsch war wie Guddie, behielt aber die Frage für sich. Bei aller Offenheit hatte Guddie etwas Trauriges an sich und er fürchtete, dass sie ihn sofort sitzenlassen würde, wenn er sie weiter mit persönlichen Fragen bedrängte oder damit anfing, ihr aus heiterem Himmel Komplimente zu machen.

»Warum bleibst du nicht hier?«, unterbrach sie seine Gedanken. »Wir könnten gemeinsam etwas unternehmen. Eigentlich wollte ich mit Dags in den Zoo gehen, aber am Telefon klang sie nicht so, als hätte sie dazu besondere Lust.«

»Klar!«, stimmte Olaf begeistert zu. »Nur ... vielleicht hat sie was dagegen. Dags, meine ich.«

»Warum fragst du sie nicht?«

Guddie zeigte zur Haltestelle vor dem Bahnhof, wo in

unregelmäßigen Abständen Taxis und doppelstöckige Busse anhielten, ihre Fahrgäste entließen, neue Fahrgäste aufnahmen und wieder davonfuhren. Aus einem der Busse war ein Mädchen mit rotbraunen Haaren, bunten Shorts und einer geflickten Jeansjacke ausgestiegen, das sich mit gerunzelter Stirn suchend umschaute. Der Gesichtsausdruck des Mädchens änderte sich nicht, als es Gudrun entdeckte, ihr zuwinkte und auf sie und Olaf zukam.

Bauchlandung, dachte er. Dieses komische Mondgesicht war nicht halb so hübsch wie Guddie.

〰〰

Dags konnte sich nichts Besseres vorstellen, als dass Olaf sie und Gudrun begleitete. Auf dem Weg zum Bahnhof Zoo war ihr schlagartig bewusst geworden, dass sie sich zum ersten Mal allein mit Gudrun traf – eine Vorstellung, die sie ziemlich nervös gemacht hatte. Lieber mit den beiden zusammen als allein mit Gudrun durch die Gegend ziehen, dachte sie.

Außerdem gefiel ihr Olaf. Im Gegensatz zu den meisten anderen Menschen hatte er es fertiggebracht, seinen Blick nicht von ihrem braunen zu ihrem blauen Auge und wieder zurück wandern zu lassen, als Gudrun sie miteinander bekannt gemacht hatte. Dags wusste, dass die Leute nichts dafür konnten, wenn sie sie anstarrten, aber das änderte nichts daran, dass sie sich in solchen Momenten fühlte wie ein Zirkustier. Nein, es störte sie nicht im Geringsten, dass Olaf mitkam.

»Schön«, grinste er. »Aber müssen wir wirklich in den Zoo mit den ganzen eingesperrten Viechern? Guddie hat schon gesagt, dass du vielleicht keine Lust dazu hast.«

»Guddie?«

»Mein Spitzname«, erklärte Gudrun.

In Dags stieg eine Mischung aus Ärger und Eifersucht auf. Ihr gegenüber hatte Gudrun – Guddie – diesen Spitznamen noch nie erwähnt. Und die Art, wie Olaf ihn ausgesprochen hatte, gefiel ihr ebenfalls nicht. Sie wusste, dass Guddie besser aussah als sie selbst, aber dieses Wissen vergrößerte nur ihre plötzliche Eifersucht.

»Übrigens, ich hab hier was.« Olaf holte eine Haarspange aus schimmerndem Perlmutt aus der Hosentasche, hielt sie Dags entgegen und deutete auf die beiden einfachen bunten Kämme aus Plastik, mit denen sie ihre Haare zurückgesteckt hatte. »Du kannst so was doch bestimmt brauchen, oder?«

»Woher hast du das Ding?«

Olaf zuckte die Achseln. Er rieb sich kurz mit dem Zeigefinger über die Nase und grinste. »Bei einer Tombola gewonnen. Kannst sie behalten.«

Dags steckte die Spange ein und dachte dabei an das Buch über Körpersprache, das sie vergangene Weihnachten von ihrem Vater geschenkt bekommen hatte. Sie hatte das Buch mehr als einmal gelesen, fasziniert von der Tatsache, dass zwischen dem, was ein Mensch sagt, und dem, was er wirklich denkt, oft Unterschiede bestehen, die sich in der Körpersprache ausdrücken können. Ein kleines Kapitel des Buches beschrieb die Merkmale, an denen man erkennen konnte, wenn jemand log: Seine Pupillen verengten sich unwillkürlich, seine Gestik wurde sparsamer oder fiel ganz aus und der betreffende Mensch legte beim Sprechen eine Hand oder einen Finger direkt auf den Mund oder auf die Nase – als wolle er die Lüge so daran hindern, aus seinem Mund zu schlüpfen.

So, wie Olaf es eben getan hatte. Er hatte gelogen und Dags schloss eine stille Wette mit sich selbst ab, dass er ein Geheimnis hatte – vielleicht nur ein kleines, unbedeutendes Geheimnis, aber ganz gewiss eines, das sich zu erforschen lohnte.

»Also, was ist mit dem Zoo?«, fragte Olaf.

Guddie zuckte die Achseln. »Muss nicht sein«, sagte sie. »War eigentlich auch nur so eine Idee. Weißt du was Besseres?«

»Etwas viel Besseres!«, sagte er.

Seine braunen Augen blitzten und diesmal hatte Dags das sichere Gefühl, dass mit diesem Jungen etwas nicht stimmte. Etwas stimmte ganz und gar nicht und früher oder später würde sie herausfinden, was es war. Plötzlich präsentierte sich der Tag in einem völlig neuen Licht.

Ich muss bekloppt sein. Vor zwanzig Minuten bin ich diesem Typen mit der Narbe entwischt und jetzt spiele ich freiwillig Räuber und Gendarm.

Olaf ließ den Blick über die Obdachlosen wandern, die vor dem Haupteingang des Bahnhofs lagerten. Die meisten schliefen auf zusammengefalteten Zeitungen ihren Rausch aus. Andere beschimpften lautstark die Ausländer, die unverzollte Zigaretten verkauften, diskutierten das Tagesgeschehen oder bettelten vorbeikommende Passanten um Geld an.

Einer der Obdachlosen, ein älterer Mann mit fast schwarzen Zähnen und einem struppigen grauen Bart, winkte ihm lächelnd zu. Er gehörte zu den Pennern, denen Olaf ab und zu geklautes Zeug schenkte. Olaf winkte zurück und drehte sich schnell um, froh, dass Dags gerade in die Richtung sah, aus der Guddie mit einer neuen Portion Eis kam.

»Geht auf meine Kosten«, sagte sie großzügig, nachdem sie das Eis verteilt hatte.

»Möchte nicht wissen, aus was dieses Zeugs zusammengesetzt ist«, murmelte Dags, nachdem sie sich in eine kurze Betrachtung der Eiswaffel und ihres Inhalts versenkt hatte. Sie brach ein Stück von der Waffel ab und ließ es in der Innentasche ihrer Jacke verschwinden. Die Jacke begann zu vibrieren und ein leises Knuspern ertönte.

»Romeo«, erklärte Dags knapp.

Das musste der Name der Ratte sein, die sie überall mit sich herumtrug. Olaf hasste Ratten und hoffte, dass Dags das Vieh nicht aus der Jacke holen würde.

»Also, was hast du vor?«, fragte Guddie, die sich hingebungsvoll ihrem Eis widmete. »Was ist das für ein Spiel?«

»Es hat keinen Namen«, erklärte Olaf. »Aber es ist ziemlich einfach. Jeder von uns sucht sich jemanden aus, der hier herumläuft, und verfolgt ihn oder sie. Sinn der Sache ist, über die verfolgten Personen so viel wie möglich rauszukriegen: Wie verhalten sie sich, was für Klamotten haben sie an – ziemlich genau, also auch Ringe und Uhren und so ein Zeugs –, was für ein Parfüm oder Rasierwasser benutzen sie, wo machen sie was. Alles eben.«

»Was ist das Tolle daran?«

»Das wirst du merken, wenn du es eine Weile gemacht hast. Es ist … kribbelig. Eine Verfolgung eben.«

»Klingt jedenfalls interessanter, als im Zoo den Affen dabei zuzusehen, wie sie sich mit Bananen vollstopfen.« Auf Dagmars Wangen waren kleine rote Flecken erschienen. Offenbar war sie Feuer und Flamme für die Idee.

»Na ja …« Guddie leckte an ihrem Eis und zuckte mit den Achseln. »Ist vielleicht ganz interessant.«

»Okay, also los.« Olaf sah sich suchend um. »Ich glaube, ich verfolge diesen Typen da vorne.«

Ein dicker, mit zwei vollen Plastiktüten beladener Mann war soeben aus einem der U-Bahn-Ausgänge gekommen. Er stellte die Taschen ab, verschnaufte und sah sich suchend um.

»Guddie?«

»Tja …« Guddie ließ ihre blauen Augen über die beinahe unübersehbare Menschenmenge wandern, die sich wie ein Heer bunter Ameisen über den Bahnhofsvorplatz bewegte, und wieder fiel Olaf auf, wie hübsch sie war. Sie deutete auf einen Mann mit kurzen blonden Haaren in einem hellgrauen Anzug, der auf der anderen Seite der Hardenbergstraße stand und darauf wartete, dass die Fußgängerampel auf Grün umsprang. »Der da drüben, der gleich über die Straße kommt. Den nehme ich.«

»Okay.« Dags hatte sich ebenfalls umgesehen. »Dann verfolge ich die Lady mit dem Hund.« Sie zeigte über die an- und abfahrenden Taxis hinweg zur Bushaltestelle, wo eine ältere Dame in einem blassgelben Sommerkleid stand, die einen strubbeligen Pudel an der Leine hielt.

»Warum denn ausgerechnet die?«, fragte Olaf.

»Ich hab was übrig für degenerierte Köter.«

Olaf hatte eine entschiedene Abneigung gegen Fremdwörter, und Leute, die sie benutzten, konnte er nicht ausstehen. Das Mondgesicht hatte schlechte Karten.

Die Fußgängerampel schaltete auf Grün. Der Mann, den Guddie sich ausgesucht hatte, überquerte die Straße und bewegte sich schnell auf den Haupteingang des Bahn-

hofs zu. Im selben Moment hielt ein Bus an der Haltestelle, wo die alte Dame mit dem Pudel stand.

Guddie und Dags sprangen gleichzeitig auf. »Wann
treffen wir uns und wo?«, fragte Dags.

Olaf warf einen Blick auf seine Uhr. »In zwei Stunden
auf dem Breitscheidplatz, am Weltkugelbrunnen. Weißt
du, wo das ist, Guddie?«

»Der Platz vor der Gedächtniskirche?«

»Genau. Der Brunnen ist nicht zu übersehen.«

Guddie nickte. Der Mann im hellgrauen Anzug war
soeben in die Bahnhofshalle gegangen und sie folgte ihm,
ohne sich noch einmal umzusehen. Olaf sah ihr stirnrunzelnd nach. Sie schien es plötzlich sehr eilig zu haben, ihn
und Dagmar zu verlassen.

»Na dann«, sagte Dagmar. Sie hatte eine Sonnenbrille
aus ihrer Jackentasche gezogen und setzte sie auf. »Fröhliche Jagd!«

Kapitel 3
Verfolgungen

Guddie war erleichtert, dass weder Olaf noch Dagmar sie gefragt hatten, warum ihre Wahl ausgerechnet auf den Mann im hellgrauen Anzug gefallen war. Es fiel ihr schon schwer genug, sich den Grund selbst einzugestehen: Von wenigen Ausnahmen abgesehen war der Mann ein fast genaues Ebenbild ihres Vaters.

Sie folgte ihm durch die belebte Bahnhofshalle, in der es kaum kühler war als draußen. Die Luft war abgestanden, heiß und stickig. Halbkugelförmige, von der Decke herabhängende Lampen verbreiteten künstliches Licht, bunte Schilder wiesen auf die Zugänge der sich hier kreuzenden U- und S-Bahn-Linien hin und Menschen, überall Menschen, ein Kommen und Gehen, die Echos Hunderter Stimmen und Schritte, die sich an den hohen Wänden der Bahnhofshalle brachen …

Der Mann im hellgrauen Anzug lief eine zur S-Bahn führende Treppe hinauf. Guddie wartete, bis er den ersten Treppenabsatz erreicht hatte, bevor sie ihm nachging. Sie hatte noch keine zehn Stufen hinter sich gebracht, als ein bulliger, glatzköpfiger Mann sich von hinten an ihr vorbeidrängte und sie so unsanft zur Seite stieß, dass sie Halt suchend nach dem Geländer greifen musste.

»Hey, passen Sie doch auf!«

Der Glatzkopf drehte sich nicht um und war im nächsten Augenblick verschwunden. *Mistkerl!* Guddie rappelte sich auf und hastete die letzten Stufen nach oben auf den Bahnsteig. Wo war der Mann im hellgrauen Anzug?

Einen kurzen, erschreckten Moment lang befürchtete sie ihn aus den Augen verloren zu haben. Dann sah sie ihn inmitten der wenigen entlang der Gleise wartenden Menschen. Glück gehabt, dachte sie. In einer halben Stunde, wenn die Rushhour begann, würden der Bahnsteig und die Züge überfüllt sein. Sie warf einen Blick auf die Anzeigetafel: Linie 3, Richtung Erkner. Das war eine der S-Bahnen, die bis an den östlichen Stadtrand fuhren. Guddie dachte beruhigt an ihre Monatskarte, die für das gesamte öffentliche Verkehrsnetz galt. Wenn es sein musste, konnte sie den Mann damit bis in den letzten Winkel Berlins verfolgen.

Sie trat bis auf wenige Schritte an ihn heran und musterte ihn unauffällig aus den Augenwinkeln. Er hatte ein markantes Gesicht mit einem kräftigen Kinn. Um seine braunen Augen lagen kleine Lachfältchen, die ihn ungeheuer sympathisch machten. Aber er lächelte nicht. Was sie bei der ersten, flüchtigen Betrachtung nicht bemerkt hatte, fiel Guddie jetzt auf: Der Mann war nervös. Auf seiner Oberlippe lag ein Film aus winzigen Schweißperlen und von Zeit zu Zeit sah er auf eine flache silberne Armbanduhr, die er am rechten Handgelenk trug.

Das charakteristische Rauschen einer sich nahenden S-Bahn riss sie aus ihren Betrachtungen. Sie trat automatisch einen Schritt zurück, als der Zug mit den rot-gelben Waggons polternd in den Bahnhof einfuhr, warme Luft wie eine unsichtbare Bugwelle vor sich herschiebend. Der Mann stieg ein und erwischte einen Fensterplatz in der rechten Sitzbankreihe. Guddie nahm ihm schräg gegenüber Platz. Draußen forderte eine Lautsprecherstimme die letzten Fahrgäste zum Einsteigen auf. Sekunden später ertönte ein hydraulisches Zischen, die Türen schlossen sich und der Zug setzte sich ruckend in Bewegung. Der Mann schloss die Augen.

Er öffnete sie erst wieder, als sie fünfzehn Minuten später den Hackeschen Markt erreichten. Guddie senkte den Blick, als sie merkte, dass er sie ansah, obwohl sie sicher war, dass er nur zufällig in ihre Richtung schaute. Der Mann stand auf und verließ das Abteil. Sicherheitshalber heftete Guddie sich erst wieder an seine Fersen, nachdem er über den Bahnsteig verschwunden und die Treppen hinabgelaufen war.

Kurz darauf überquerte der Mann die Friedrichsbrücke, die sich bogenförmig über die grünblau funkelnde Spree spannte und zur Museumsinsel führte. Ein Ausflugsschiff, nur halb besetzt, fuhr mit munterem Tuten unter der Brücke hindurch. Links erhob sich mächtig der

Berliner Dom. Guddie betrachtete die mit einem goldenen Kreuz gekrönte grüne Kuppel und zum ersten Mal,
seit sie losgefahren war, dachte sie an Olaf.

〰〰

Wenn ich nahe an ihn rankommen will, dann ist jetzt die
beste Gelegenheit, dachte Olaf.

Der dicke Mann mit den Plastiktüten hatte sich langsam die Joachimstaler Straße hinaufbewegt und war schon
nach wenigen Schritten an einer Würstchenbude stehen
geblieben.

»Thüringer«, verlangte er einsilbig. Seine Stimme war
tiefer, als Olaf angenommen hatte. Er stellte sich dicht
neben ihn und bestellte eine Cola, die er mit schnellen
Schlucken austrank, während der Mann die Bratwurst aß.

Verschlingen wäre das bessere Wort gewesen. Die
Wurst verschwand mit drei großen Bissen. Fett tropfte aus
den Mundwinkeln des Mannes und klatschte unbeach-
tet auf sein Hemd. Er wischte sich die Finger flüchtig an
einer Papierserviette ab, warf sie in den nebenstehenden
Abfalleimer, nahm seine Plastiktüten wieder auf und ging
weiter.

Olaf folgte ihm bis zum Ku'damm, den der dicke Mann
überquerte, bevor er sich nach links wandte und an der
nächsten Ampel stehen blieb. Wenn er in dieser Richtung
weiterging, würde er unweigerlich bei Wertheim vorbei-

kommen, dem Kaufhaus, in dem Olaf vor einer Stunde dem Detektiv in die Hände gefallen war.

»Scheiße!«, murmelte Olaf. Er überlegte unschlüssig, was er tun sollte. Falls der Mann in das Kaufhaus ging und er ihn dorthin verfolgte, würde er mit Sicherheit wieder klauen … oder dem Detektiv mit der roten Narbe begegnen.

Die Ampel schaltete auf Grün und der dicke Mann setzte sich in Bewegung. Der Strom der entgegenkommenden Passanten teilte sich um seine massige Gestalt, wie das Rote Meer sich vor Moses geteilt haben musste. Olaf presste enttäuscht die Lippen zusammen, als der Mann tatsächlich im Kaufhaus Wertheim verschwand.

Okay, was hab ich über ihn rausgekriegt?, überlegte er. Der Typ saut mit seinem Essen rum – entweder er muss seine Klamotten nicht selber waschen, weil zu Hause ein braves Frauchen sitzt, das ihm diese Arbeit abnimmt, oder es ist ihm egal, wie er aussieht. Außerdem hat er nicht viel Geld, trägt eine billige Rolex-Imitation und stinkt nach sauren Gurken, weil er sich seit Tagen nicht unter den Armen gewaschen hat. Vielleicht kauft er sich ein Deo.

Warum findest du es nicht heraus?, flüsterte die Stimme in seinem Kopf. *Warum folgst du ihm nicht einfach in das Kaufhaus? Bei dieser Gelegenheit könntest du dich auch gleich … ein wenig umsehen.*

Nein.

Er hatte sich noch nie Gedanken darüber gemacht, was andere Menschen von seinen Streifzügen durch die Kaufhäuser halten könnten. Aber jetzt dachte er an Guddie und daran, wie sie wohl reagieren würde, falls sie von seinen Diebstählen erführe. Wahrscheinlich …

Wahrscheinlich hält sie dich für ein Arschloch und redet kein Wort mehr mit dir! Wahrscheinlich stellt sie fest, dass dieser dicke Mann mit seinem fleckigen Hemd und dem Geruch nach saurem Schweiß eigentlich ein ganz netter Typ sein könnte, während du mit deinem ordentlichen Haarschnitt, deinen sauberen Fingernägeln und deinen frisch gewaschenen Klamotten nicht mehr bist als –

»– als ein gewöhnlicher Dieb«, hörte Olaf sich flüstern. Er fühlte ein Brennen in der Kehle und schluckte. Mit einem letzten Blick durch die Schaufensterscheibe ins Innere des Kaufhauses vergewisserte er sich, dass von dem Mann mit den Plastiktüten nichts mehr zu sehen war. Dann wandte er sich niedergeschlagen ab und ging langsam in Richtung Breitscheidplatz.

Im Februar hatte Guddie mit ihrer Mutter die Museumsinsel besucht, an einem der seltenen Tage dieses Winters, an denen in Berlin Schnee gefallen war.

»Bis zum Mittelalter sah es hier noch ganz anders aus«, hatte Frau Berger erklärt. »Es gab nur den Fluss, mit den

Städten Berlin auf der einen und Cölln auf der anderen Seite. Um den Schiffsverkehr besser regulieren zu können, zogen die Cöllner einen Kanal durch ihre Stadt, den heutigen Kupfergraben. Er wurde später erweitert und so entstand in der Spree eine Insel. Später befand sich hier der kaiserliche Gemüsegarten.«

Während sie lachte, hatte ihr ein eisiger Wind die langen Haare um das blasse Gesicht gewirbelt. Schneeflocken lagen wie ein weißer Mantel auf ihren Schultern, und Guddie hatte unwillkürlich an das Märchen von der Schneekönigin gedacht.

»Wann sind die Museen auf der Insel erbaut worden?«

»Das letzte wurde gegen 1930 fertiggestellt, doch damit begonnen wurde schon in der ersten Hälfte des 19. Jahrhunderts. Die preußischen Könige wollten ein Zentrum der Kultur und der Wissenschaft errichten – und nebenbei Repräsentativbauten, die der Welt zeigen sollten, wie mächtig das Preußische Reich war. Und was wäre einmaliger gewesen als ein aus fünf Gebäuden bestehender Museumskomplex, der einen Überblick über das gesamte künstlerische Schaffen der Menschheit von der Antike bis zur Neuzeit ermöglichte?«

Guddie hatte während dieser Erklärungen so sehr gefroren, dass sie für die Bauwerke, die wie griechische Tempel strahlend und majestätisch unter dem klaren Winterhimmel standen, kaum einen Blick übriggehabt hatte.

»Neoklassizismus, glaube ich«, hatte Frau Berger Guddies Frage nach dem Baustil der Gebäude beantwortet und einen Schneeball gegen die großflächige Seitenwand des Alten Museums geworfen, wo er einen weißen Fleck hinterließ. »Wusstest du, dass die alten Griechen ihre Architektur mit zu Stein gewordener Musik verglichen?«

Guddie hatte es weder gewusst noch richtig verstanden, was damit gemeint sein sollte. Aber sie hatte die Worte ihrer Mutter nicht vergessen. Es war ein schöner Tag gewesen, dachte sie jetzt, trotz der eisigen Kälte, die sie nach dem Rundgang an einer kleinen Zuckerbude mit Bratäpfeln und würzigem Glühwein vertrieben hatte.

Der Mann war auf der anderen Seite der Insel angekommen, wo eine weitere kleine Brücke über den Kupfergraben führte. Er bog nach rechts ab und nun lag auf der gegenüberliegenden Seite des Kanals das Neue Museum – oder das, was davon übrig war. Während des Krieges waren alle Museen stark beschädigt, inzwischen aber längst wieder aufgebaut worden. Nur die längliche Fassade des Neuen Museums sah noch immer aus wie eine riesige Spielzeuglandschaft, aus der gigantische Kinderhände wahllos größere und kleinere Stücke herausgebrochen hatten. Kräne erhoben sich über die Köpfe der Touristen, und das Dröhnen rotierender Betonmischmaschinen übertönte das Lachen der Bauarbeiter in den blauen Overalls und gelben Schutzhelmen.

Unmittelbar an das Neue Museum schloss sich das Pergamonmuseum an, das Guddie im Winter am meisten beeindruckt hatte. Zu beiden Seiten eines wuchtigen, nach hinten gelegenen Mittelflügels schoben sich zwei gewaltige Seitenflügel nach vorne bis an den Grabenrand. Über den Graben führte ein breiter Steg auf den Vorplatz des Museums, ein Forum, auf dem rußverschmutzte Kopien antiker Statuen standen, die von ihren Marmorsockeln herab blicklos ins Leere starrten. Das Einzige, was nicht in das Gesamtbild passte, war ein großer, mit Treppen versehener gläserner Vorbau des Mittelflügels, durch den man in die Eingangshalle sehen konnte.

Der Mann im hellgrauen Anzug hatte für seine Umgebung keinen Blick übrig. Er eilte mit langen Schritten über das Forum. Guddie wartete einen Moment, bevor sie ihm folgte. Sie war sicher, dass er keinen Museumsbesuch plante. Vielleicht war er hier mit jemandem verabredet?

Der Mann war bereits die ersten Treppenstufen des Vorbaus hinaufgelaufen, als er plötzlich unvermittelt stehen blieb und sich umdrehte. Sein Blick glitt über den quadratischen Platz und fiel auf Guddie. Sie blieb wie angewurzelt stehen und wusste im selben Moment, dass sie einen Fehler begangen hatte. Sie hätte weitergehen müssen. Der Mann hatte sie schon in der S-Bahn bemerkt und jetzt hatte er sie womöglich wiedererkannt!

Sie bückte sich mit pochendem Herzen und tat so, als bände sie die Schnürsenkel ihrer Turnschuhe etwas fester.

Erst nachdem sie leise bis zehn gezählt hatte, sah sie vorsichtig wieder auf. Der Mann stand in der Eingangshalle an der Kasse und kaufte eine Eintrittskarte. Blitzartig fiel ihr ein, dass sie kein Geld mehr besaß, weil ihre letzten Pfennige für das Eis draufgegangen waren, das sie Olaf und Dags spendiert hatte.

So ein Mist!

Mit Ausnahme des kurzen Augenblicks auf dem Bahnsteig am Bahnhof Zoo war sie die ganze Zeit darauf bedacht gewesen, dem Mann nicht zu nahe zu kommen. Und jetzt war es zu spät, mehr über ihn herauszufinden. Sie sah auf ihre Uhr. Seit Beginn der Verfolgung war erst eine halbe Stunde vergangen. Sie hatte noch eine ganze Stunde Zeit, bevor sie sich auf den Rückweg machen musste. Natürlich konnte sie warten, bis der Mann das Museum wieder verließ und vielleicht –

Hinter ihr erklangen laute, rasch näher kommende Schritte. Guddie hob den Blick und zog überrascht die Augenbrauen zusammen, als sie im spiegelnden Glas des Vorbaus den Glatzkopf erkannte, der sie am Bahnhof Zoo auf der Treppe angerempelt hatte. Es musste ein Zufall sein, dass er ebenfalls hier aufgetaucht war … und dennoch breitete sich ein ungutes Gefühl in ihrem Magen aus. Selbst in dem Spiegelbild konnte sie erkennen, dass die Augen des Mannes so kalt waren wie blaues Eis.

〜〜

Der degenerierte Köter hieß Leopold, seine Besitzerin Annemarie Wöllner und beide waren auf dem Weg zum Hundesalon.

»Der arme Leopold – so hieß mein verstorbener Mann, weißt du – kann ja kaum noch aus den Augen sehen«, schnatterte Frau Wöllner fröhlich. Sie fuhr mit der rechten Hand prüfend über ihre Dauerwelle, dann legte sie dem Pudel einen mit kiloschwerem Goldschmuck behangenen Arm um den Hals. »Und wenn er nichts sieht, dann kann er nicht auf Frauchen aufpassen, nicht wahr?«

Dags nahm ihre Sonnenbrille ab, erwiderte das Beifall heischende Lächeln ihres Verfolgungsopfers und beglückwünschte sich zu dem Geniestreich, mit dem sie dessen Bekanntschaft gemacht hatte. Frau Wöllner war vorn beim Fahrer eingestiegen, Dags in der Mitte des Busses. Bis die alte Dame umständlich einen Fahrschein gelöst hatte, waren alle Plätze besetzt gewesen – einer davon von Dags. Sie hatte der Frau ihren Platz angeboten und so waren sie ins Gespräch gekommen.

»Sollte jemand versuchen mich zu belästigen oder gar zu überfallen, wird mein Leo zum Tiger!«

Dags musterte den unglücklichen kleinen Pudel, der sich ängstlich in den Schoß seines Frauchens drückte.

Wahrscheinlich war er schon beim Anblick einer Maus – oder Romeos, der mit stoischer Ruhe in der Innentasche der Jeansjacke hockte und keinen Mucks von sich gab –

von sofortigem Herzversagen bedroht. Dann studierte sie Frau Wöllner, den Schmuck an ihren Armen, die Ringe an den sorgfältig manikürten Fingern, die Handtasche aus Krokodilleder, das teure gelbe Sommerkleid, die auf Hochglanz polierten hellen Schuhe.

Vor zwei Jahren hatte Dags das Musical *Linie 1* gesehen, in dem ein Mädchen aus dem Westen, auf der Suche nach seinem Freund, mit der U-Bahn-Linie 1 quer durch Berlin gefahren war. An jeder Station waren neue Menschen zugestiegen, alle mit ihrer eigenen Geschichte, alle ein Stück von Berlin, darunter vier oder fünf grässliche alte Frauen aus dem begüterten Stadtteil Wilmersdorf.

Wilmersdorfer Witwen.

Dags erinnerte sich gut an die alten Schachteln, die wie Krähen auf der Stange nebeneinandergehockt und sich das Maul über Hippies, Ausländer und Drogenabhängige zerrissen hatten. Frau Wöllner schien allerdings nicht zu dieser Spezies zu gehören. Im Gegenteil: Sie sprach nur von sich und Leopold. Nach zwei Haltestellen wusste Dags, wo die Frau wohnte, wie ihre Wohnung eingerichtet war und wie viel Miete sie bezahlte, nach vier weiteren kannte sie ihre komplette Lebensgeschichte. Es war mehr, als sie erhofft hatte.

»Er kann den Briefträger nicht ausstehen.« Frau Wöllner strahlte und Dags stellte fest, dass sie ihr schon seit einer ganzen Weile nicht mehr zugehört hatte. »Er hat Bandwürmer, weißt du.«

»Äh … der Briefträger?«

»Leo.«

Leopold sah auf, als er seinen Namen hörte. Er war inzwischen von einer leichten Unruhe erfasst worden. Entweder er hatte Romeo gewittert oder er fühlte instinktiv, dass ihm etwas Unangenehmes bevorstand. Als Frau Wöllner nach drei weiteren Haltestellen ausstieg, musste sie den widerstrebenden Pudel hinter sich herzerren wie ein Henker den Todeskandidaten zum Schafott.

Dags sah aus dem Fenster und winkte der Wilmersdorfer Witwe ein letztes Mal zu. Dann setzte sie sich zufrieden auf den frei gewordenen Platz, ließ eine Hand in die Innentasche der Jacke gleiten und kraulte Romeo beruhigend hinter den Ohren. Sie überlegte, mit welchem Erlebnis Olaf oder Guddie ihre eigene detektivische Arbeit schlagen wollten. Selbst wenn sie sich ein Bein ausreißen, dachte sie, an meine Geschichte kommen sie nicht ran. Garantiert nicht!

Zu Guddies Überraschung dauerte es keine Viertelstunde, bis der Mann im hellgrauen Anzug das Museum wieder verließ. Ohne sie zu bemerken, lief er eilig an der Statue vorbei, in deren Schatten sie geduldig gewartet hatte. Was sie in der S-Bahn schon vermutet hatte, war jetzt offensichtlich: Der Mann war verstört und beunruhigt. Noch während Guddie überlegte, was sie jetzt tun sollte, ging die Tür des Vorbaus ein zweites Mal auf. Das Glas blitzte im Sonnenlicht, sie senkte geblendet den Blick, und als sie den Kopf wieder hob, sah sie den Glatzkopf die Stufen hinablaufen.

Guddies Mund war plötzlich wie ausgetrocknet. Wie hatte sie glauben können, das Auftauchen des Glatzkopfs sei ein Zufall gewesen? Sie war nicht die Einzige, die den Mann im hellgrauen Anzug verfolgt hatte! Der Glatzkopf war ebenfalls hinter ihm her, er war die ganze Zeit hinter ihm her gewesen, sie wusste es mit tödlicher Sicherheit, und wenn sie den Mann nicht sofort warnte …

Ihre Beine trugen sie wie von selbst auf den Pergamonsteg zu, aber es war bereits zu spät. Der Mann hatte die Brücke gerade überquert, als der Glatzkopf ihm von hinten eine Hand auf die Schulter legte. Er drehte sich um und trotz der Entfernung konnte Guddie sehen, dass sein Gesicht vor Angst verzerrt war. Der Glatzkopf sprach heftig auf ihn ein. Der Mann schüttelte energisch den Kopf.

Von links fuhr ein dunkelblauer Wagen vor. Er hatte kaum neben den beiden Männern angehalten, als auch schon die Beifahrertür von innen aufgestoßen wurde. Die rechte Hand des Glatzkopfs presste dem Mann im Anzug etwas in die Seite, mit der linken machte er ihm ein Zeichen, in den Wagen zu steigen. Nur drei Meter von dem Geschehen entfernt blieb Guddie wie angewurzelt stehen.

Eine Waffe?

Der protestierende Schrei des Mannes wurde vom Lärm eines Zuges verschluckt, der über eine nahe gelegene S-Bahn-Brücke donnerte. Dann fiel sein in panischem Schrecken flackernder Blick auf Guddie. Er griff in seine linke Jackentasche, zog ein Stück Papier hervor und hielt es ihr mit ausgestrecktem Arm entgegen, gerade als es dem Glatzkopf endlich gelang, ihn unsanft in den Wagen zu drücken. Der weiße Zettel flatterte unbemerkt zu Boden.

Guddie sah sich Hilfe suchend um. Auf dem Museumsvorplatz war kein Mensch zu sehen. Unter der S-Bahn-Brücke stand, eng umschlungen und weltvergessen, ein sich küssendes Pärchen und von der anderen Seite des Kupfergrabens näherte sich aus weiter Entfernung eine Gruppe Touristen. Es waren keine anderen Autos in Sicht.

Niemand hatte etwas bemerkt!

Sie sah wieder zu dem Wagen. Die Sonne spiegelte sich in der Windschutzscheibe, aber sie glaubte zu erkennen, wie der Fahrer dem Mann im grauen Anzug etwas ins Gesicht drückte und wie dessen Kopf plötzlich nach hinten sackte.

Ein Betäubungsmittel!

Guddie stand noch immer wie festgenagelt. Der Schock und die Angst bannten sie auf die Stelle und sie konnte sich selbst dann nicht bewegen, als der Glatzkopf sich wie in Zeitlupe umdrehte und ihr einen hasserfüllten Blick aus zu schmalen Schlitzen zusammengekniffenen Augen zuwarf.

Sie bringen mich um!, schoss es ihr durch den Kopf. Ich hab alles gesehen, ich hab gesehen, dass sie den Mann entführen, und jetzt bringen sie mich um oder sie entführen mich auch!

In ihrem Magen bildete sich ein bleischwerer Eisklumpen. Aus dem Inneren des dunkelblauen Wagens ertönte ein ungeduldiger Ausruf. Der Glatzkopf zögerte. Dann, mit einem letzten wütenden Blick auf Guddie, schwang er sich auf den Rücksitz des Wagens und zog die Tür hinter sich zu.

Sie hatte erwartet, dass der Wagen mit quietschenden Reifen davonschießen würde, aber nichts dergleichen geschah. Er setzte sich fast geräuschlos in Bewegung und fuhr langsam auf die S-Bahn-Brücke zu. Unmittelbar vor dem Stahlgerüst der Brücke bog er nach links in eine Seitenstraße ab und verschwand aus ihrem Blickfeld.

In Guddies Kopf schossen tausend Gedanken gleichzeitig durcheinander. Sie musste von hier fort! Sie musste sofort zu ihrer Mutter, zu Olaf und Dags, sie musste die Polizei verständigen von dem Mann im grauen Anzug, von dem Glatzkopf, von dem dunkelblauen Wagen und der Entführung und dem Zettel –

O Gott, der Zettel!

Ein Windstoß hatte das Stück Papier erfasst, es in die Höhe gehoben und trieb es Guddie entgegen. Und hinter ihr befand sich das Geländer und hinter dem Geländer war nichts, nur Leere, und darunter das Wasser des Kanals! Der Zettel torkelte durch die Luft wie ein weißer Schmetterling. Sie sprang nach vorne und griff danach, aber ein zweiter Windstoß blies ihn über ihren Kopf und das Geländer hinweg.

Guddie wirbelte herum. Für Sekunden schien der Zettel wie von unsichtbaren Fäden gehalten in der Luft zu hängen. Dann ließ der Wind ihn los und er trudelte langsam nach unten, dem Wasser entgegen. Ohne zu überlegen, klammerte sie sich mit der linken Hand an dem kühlen Eisen des Geländers fest und beugte sich, so weit sie konnte, darüber. Ihre rechte Hand schoss vor und diesmal hatte sie mehr Glück. Der Zettel berührte ihre Fingerspitzen, tanzte schwerelos um sie herum, kam näher … Guddie griff zu und ihre verschwitzte Faust schloss sich um das Papier.

Sie holte mehrmals tief Luft und suchte mit den Augen die Straße ab. Der dunkelblaue Wagen kam nicht zurück. Dann starrte sie hinunter auf den Kanal. Eine Wolke hatte sich vor die Sonne geschoben und unter einem letzten Windstoß kräuselte sich unruhig das Wasser.

Kapitel 4

Vermutungen, Entscheidungen und das Ende einer schlaflosen Nacht

»Lasst uns das Ganze noch mal rekapitulieren.«

»Rekapiwas?«, fragte Olaf.

»Rekapitulieren«, wiederholte Dags. Sie betonte jede Silbe des Wortes einzeln und zog dabei ein leicht genervtes Gesicht. »Zusammenfassen, was wir wissen.«

Es war das erste Mal, dass Olaf einen gewissen Zug von Arroganz an ihr bemerkte, aber er war viel zu aufgeregt, um sich darüber Gedanken zu machen. Er hatte im Schatten der Gedächtniskirche auf dem Rand des Weltkugelbrunnens gesessen, das bunte Treiben auf dem Breitscheidplatz beobachtet und sich eine Verfolgungsgeschichte ausgedacht, die er Guddie und Dags erzählen wollte. Er hätte sich die Mühe sparen können.

Die Mädchen waren beinahe gleichzeitig eingetroffen und Guddie hatte darauf bestanden, den Platz sofort zu verlassen. Sie waren die Kurfürstenstraße entlanggegangen, hatten den einem chinesischen Tempel gleichenden Eingang des Zoos passiert und sich einige Hundert Meter weiter auf einer Bank niedergelassen. Sie stand ein wenig zurückgesetzt von der Straße vor einem schlanken, mit Metallstreifen gespickten Säulenbrunnen, der Olaf an einen indianischen Marterpfahl erinnerte.

Er fragte sich, was Guddie gerade denken mochte. Sie saß zwischen ihm und Dags und starrte geistesabwesend auf das munter plätschernde Wasser des Brunnens. Sie war immer noch blass wie ein Leichentuch. Als sie ihre Geschichte erzählte, hatte sie einzelne Stellen wiederholen müssen, weil sie leise sprach und gegen den Verkehrslärm ankämpfen musste, der von der Straße heranbrandete. Anfangs hatten er und Dags sie noch unterbrochen, aufgeregt und ungläubig. Dann waren sie verstummt.

»Du wolltest rekapitulieren«, sagte er zu Dags. Er gab sich Mühe, das Wort so beiläufig wie möglich auszusprechen.

Dags nickte. »Oberflächlich betrachtet klingt die Sache ziemlich einfach: Ein Mann wird von einem anderen Mann verfolgt. Der Verfolger arbeitet mit mindestens einem weiteren Typen zusammen – mit jemandem, der einen ziemlich teuren Wagen besitzt, von dem wir leider das Kennzeichen nicht kennen.« Sie warf Guddie einen vorwurfsvollen Blick zu, den diese nicht bemerkte. »Der Mann wird in den Wagen gezerrt, betäubt und entführt«, fuhr sie fort. »Und bevor das geschieht, verliert er einen Zettel.«

»Er hat ihn nicht verloren.« Es waren Guddies erste Worte, seit sie von der Entführung erzählt hatte. »Er hat ihn für mich fallen lassen.«

»Wie auch immer.« Dags studierte mit gerunzelter Stirn das Blatt Papier, das auf Guddies Knien lag. »Fällt euch dazu etwas ein?«

Das unlinierte weiße Blatt war fast leer. Etwa in seiner Mitte befand sich eine handgeschriebene Gruppe aus Buchstaben und Zahlen: KEM 5018. Eine Handbreit darunter war eine hastige Zickzacklinie eingezeichnet, die aussah, als habe jemand dreimal den Buchstaben V aneinandergefügt. Oder wie drei nach oben offene Dreiecke, dachte Olaf. Das mittlere der Dreiecke war breiter und seine Spitze ragte etwas tiefer nach unten als die der beiden äußeren.

»Ich habe während der ganzen Fahrt hierher überlegt, was das bedeuten könnte«, sagte Guddie. Ihr Zeigefinger folgte der Zickzacklinie. »Mit diesem Muster kann ich überhaupt nichts anfangen. Und KEM 5018 ...?«

Olaf zuckte die Achseln. »Vielleicht ist es eine ausländische Telefonnummer. Haben die Amis und die Engländer nicht solche komischen Nummern mit Buchstaben?«

Keiner wusste darauf eine Antwort, alle starrten hilflos den Zettel an. »Ich will zur Polizei gehen«, sagte Guddie schließlich nervös.

Dags zeigte nach rechts. »In der Keithstraße ist ein Revier. Aber ich würde mir den Weg an deiner Stelle sparen.«

»Warum?«

»Weil sie dir nicht glauben werden.«

»Warum sollten sie nicht?«

»Was willst du ihnen denn erzählen? Dass du Zeugin einer Entführung geworden bist, die am helllichten Tag stattgefunden hat, mitten auf der Straße? An einem Platz, wo ständig Touristen herumlungern?«

Guddie presste die Lippen aufeinander. Sie faltete den Zettel zusammen, schob ihn in die Hosentasche und stand auf. Dags hielt sie an einem Arm fest.

»Guddie, du hast selbst gesagt, du hättest nicht deutlich gesehen, ob der Glatzkopf den Mann mit einer Waffe bedroht hat! Du hast selbst gesagt, du wärst nicht sicher, ob der andere Typ den Mann betäubt hat. Alles, was du hast, sind Vermutungen!«

Guddie schwieg.

»Die verpassen dir eine Zwangsjacke«, nutzte Dags ihr Zögern aus. »Und dann verbringst du den Rest des Sommers in der Klapsmühle!«

Guddie setzte sich unschlüssig wieder hin. Olaf hätte ihr zu gerne geholfen, aber er musste Dags Recht geben. Niemand würde ihnen diese Geschichte abnehmen. Verdammt, er hatte ja selber Schwierigkeiten, sie zu glauben!

»Warum ist die Sache nur oberflächlich betrachtet einfach?«, fragte er Dags.

»Na ja … Habt ihr euch noch nicht gefragt, warum der Typ erst entführt wurde, *nachdem* er im Museum war?«

»Ist das wichtig?«

»Allerdings. Warum sollte jemand das Risiko eingehen, einen Menschen gerade dann zu entführen, wenn die größte Gefahr besteht, dabei gesehen zu werden? Ich sage euch: Die haben gewartet, bis sie sicher waren, dass der Mann wirklich im Museum war.«

»Vielleicht befindet sich dort etwas, von dem sie nicht wollten, dass er es sieht«, spann Guddie den Faden weiter. »Ich meine, er war immerhin ziemlich aufgeregt, als er aus dem Museum rauskam.«

»Keine schlechte Idee.« Olaf legte nachdenklich einen Finger an die Lippen. »Und als der Glatzkopf sicher war, dass der Mann gesehen hat, was er nicht sehen sollte, hat er vom Museum aus telefoniert und den Typ mit dem Wagen verständigt, bevor der Typ im Anzug zur Polizei gehen konnte.«

»Unwahrscheinlich«, sagte Dags. »Die Männer waren nicht länger als eine Viertelstunde im Museum. In zehn Minuten kommst du in Berlin mit dem Auto nicht weit, jedenfalls nicht nachmittags. Die Straßen sind um diese Zeit völlig verstopft. Das bedeutet, dass der Typ mit dem Wagen sich schon vorher in der Nähe des Museums aufgehalten hat. Schlussfolgerung: Von den Entführern wurde von Anfang an vermutet, dass der Mann im Anzug ins Museum geht. Sie waren sich nur nicht hundertprozentig sicher.« Sie wandte sich an Guddie. »Hast du den Wagen vielleicht schon gesehen, bevor sie ins Museum gingen?«

Guddie schüttelte den Kopf. »Vorher hab ich mich nicht so genau umgesehen. Und als der Wagen wegfuhr, hatte ich genug damit zu tun, den Zettel einzufangen.«

Den Zettel …

»Vielleicht ist KEM 5018 die Nummer eines Ausstellungsstücks«, überlegte Olaf laut.

»Vielleicht ist der Mond ein Käse«, sagte Dags. »Auf diese Art werden keine Ausstellungsstücke nummeriert, jedenfalls nicht im Pergamonmuseum, da kenn ich mich aus. Ich hab nämlich ein Faible für griechische Mythologie.«

Ein was für was?, dachte Olaf. Dagmars blöde Art, ihn und Guddie wie kleine Kinder zu behandeln, fing an ihm gewaltig auf den Wecker zu gehen.

»Ich frage mich die ganze Zeit, wie wohl dem Mann zu Mute ist«, sagte Guddie nachdenklich. »Ich meine, wer weiß, was die Entführer mit ihm anstellen. Sie könnten …« Sie zuckte hilflos die Achseln und führte den Satz nicht zu Ende.

»Sie könnten was?«, fragte Dags barsch. »Seine Füße in Beton eingießen und ihn in der Spree versenken?« Sie stockte. »Wenn sie das täten, würde es natürlich keine Wasserleiche geben. Dann ist das Einzige, was von dem Mann übrig bleibt, seine Armbanduhr, die in tausend Jahren aus dem Flussschlamm gegraben wird. Den Rest erledigen die Fische.«

»Ein Grund mehr, zur Polizei zu gehen«, sagte Guddie und stand entschlossen auf. »Wenn er noch lebt, kann er auch noch gerettet werden … Was ist, kommt jemand mit?«

Als sie fünf Minuten später vor dem grauweißen, von hohen Bäumen und Büschen geschützten Altbau standen, in dem sich das Polizeirevier befand, wünschte sich Olaf, Guddie hätte auf Dags gehört und die ganze Sache gelassen. Der wachhabende uniformierte Beamte, der vor der Tür auf und ab ging, und eine an der Hauswand montierte Videokamera machten ihn mehr als nervös. Doch Dags schob sich an Guddie vorbei und ging resolut auf den Mann zu.

»Entschuldigung, aber wir möchten eine Entführung anzeigen.« Sie sah kurz zu Guddie. »Glauben wir wenigstens.«

Der Beamte grinste. »Tja, wenn ihr das glaubt, dann geht mal rein. Zweites Zimmer rechts. Aber klopft vorher an.«

»So leicht war das«, flüsterte Guddie, als sie den nach Bohnerwachs riechenden kahlen Flur durchquert hatten und vor dem Zimmer standen.

»Wart's ab«, murmelte Dags zurück. »Der schwierige Teil kommt erst noch.« Sie klopfte an die Tür, wartete einen Moment und drückte die Klinke herab.

Das Zimmer hinter der Tür war klein, schmucklos und besaß nur ein winziges Fenster. Vergilbte Poster an den nüchternen weißen Wänden warnten vor Taschendiebstahl, Rauschgift und Einbruchgefahr. Die Längsseite des Raums wurde von einem Tresen eingenommen, hinter dem ein Schreibtisch stand. Ein einzelner Polizeibeamter saß daran und war damit beschäftigt, ein Formular auszufüllen.

Dags ging an den Tresen und stützte sich mit beiden Händen darauf ab. »Wir möchten eine Entführung melden.«

Der Beamte gab keine Antwort. Er füllte weiter in aller Ruhe das Formular aus und sah erst auf, als Dags sich laut räusperte. Er hatte ein müdes Gesicht mit leicht hervorquellenden Augen. Seine dünnen Haare waren sorgfältig zurechtgekämmt, um eine beginnende Glatze zu verdecken. »Wer ist denn entführt worden? Euer Goldhamster?«

»Ein Mann. Glauben wir wenigstens.«

»Für Glaubensfragen ist die Kirche zuständig.«

Dags musterte den Polizisten, als hätte sie es mit einem besonders schweren Fall von Idiotie zu tun. Olaf hätte seinen Hals verwettet, dass sie die Verwirrung des Beamten genoss, der nicht wusste, ob er in ihr blaues oder in ihr braunes Auge schauen sollte.

»Wir möchten offiziell eine Entführung zur Anzeige bringen!«, zischte Dags ungehalten. »Ein Mann wurde vor dem Pergamonmuseum von zwei Kerlen in einen dunkelblauen Wagen gezerrt und verschleppt und vielleicht wird er gerade in diesem Moment in kleine Stücke geschnitten!«

»Ihr habt Ferien, oder?«, fragte der Polizist unbeeindruckt. »Und ihr habt nichts zu tun. Jetzt sage ich euch mal was: Was ihr hier macht, ist strafbar! Wenn ihr das nicht wisst, wissen es mit Sicherheit eure Eltern.«

»Hören Sie uns doch wenigstens mal an! Wir haben –«

»Nein, jetzt hört ihr mir mal zu!« Der Beamte war aufgestanden und hatte sich so weit über den Tresen gebeugt, dass sein Kopf fast gegen den von Dags stieß, die nicht einen Zentimeter zurückgewichen war. Eine lange Haarsträhne hatte sich von ihrem Platz auf seinem Hinterkopf gelöst und war ihm in die Stirn gefallen. »Wir haben Besseres zu tun, als Gören wie euch die Langeweile zu vertreiben! Und das werde ich notfalls auch euren Eltern klarmachen, verbunden mit einer Anzeige wegen Irreführung der Behörden, wenn ihr nicht auf der Stelle die Kurve kratzt!«

»Wie Sie meinen«, sagte Dags leise. »Aber falls in den nächsten Tagen die Leiche eines Mannes in einem hellgrauen Anzug gefunden wird – oder Teile davon –, dann behaupten Sie nicht, Sie hätten von nichts gewusst!«

Sie drehte sich um und winkte Olaf und Guddie hinter sich her. In der Tür blieb sie stehen und deutete auf die lichten Haare des Polizeibeamten, der einen Kamm aus der Hosentasche gezogen hatte und soeben sorgfältig die Haarsträhne an ihren angestammten Platz zurückkämmte. »Was Sie da haben, nennt sich übrigens *Alopecia areata*. Kreisrunder Haarausfall. Da ist nichts zu retten. In spätestens sechs Monaten haben Sie eine Glatze.«

Sie zog die Tür hinter sich zu und wie auf ein geheimes Kommando begannen die Kinder zu laufen. Sie stürmten aus dem Haus, an dem wachhabenden Polizisten vorbei und die Keithstraße hinunter. Olaf lief voran, versöhnt mit dem Tag, sogar versöhnt mit Dags. Sie war unglaublich.

»Ich will ja nicht sagen, ich hätte es gleich gesagt«, rief Dags nach Luft ringend, als sie am Ende der Straße endlich stehen geblieben waren. »Aber ich *habe* es gleich gesagt.« Und sie brach in ein ansteckendes Lachen aus, bis ihr Tränen über die Wangen liefen. Selbst Guddie schien wie befreit zu sein. In ihr Gesicht war endlich wieder Farbe zurückgekehrt.

»Und wie geht's jetzt weiter?«, fragte Olaf, als sie sich schließlich beruhigt hatten.

»Ist doch ganz klar«, erwiderte Dags. »Wir übernehmen den Fall.« Die Worte klangen so entschlossen und selbstsicher, als würde sie jeden Tag eine Entführung aufklären.

Guddie sah sie an, als wäre sie verrückt geworden. »*Den Fall?* Du warst wohl zu oft im Kino. Das hier ist kein Film, das ist echt!«

»Eben«, erwiderte Dags. »Und die Polizei ist nicht interessiert. Unsere Eltern werden uns genauso wenig glauben – auch nicht deine Mutter! Und außerdem wirst du selber noch merken, dass du gar nicht anders kannst, als der Sache nachzugehen. Du warst Zeugin eines Verbrechens, es hat dich geschockt und es ist vollkommen natürlich, dass du versuchen musst das Rätsel zu lösen, wenn du keine psychologischen Probleme kriegen willst. Spätestens morgen wirst du es merken, wenn du die ganze Nacht nicht geschlafen hast.«

»Ach, und wie willst du das anstellen?«, fragte Guddie. »Wir haben doch überhaupt nichts in der Hand.«

»Wir haben immerhin den Zettel und die Vermutung, dass die Entführung etwas mit dem Pergamonmuseum zu tun hat. Oder mit etwas, das sich im Museum befindet.«

»Das ist so gut wie nichts«, warf Olaf ein. »Wir wissen ja nicht mal, wonach wir im Museum suchen sollen.«

Dags sah beide abwechselnd an. »Verdammt, was haben wir denn zu verlieren? Entweder wir finden nichts heraus, dann ist die Sache gestorben. Oder wir erleben ein Abenteuer, von dem wir jederzeit die Finger lassen können, wenn es zu gefährlich wird. Falls wir genügend Anhaltspunkte finden, können wir schließlich immer noch die Bullen verständigen.«

Olaf nickte und sah Guddie an.

»Also gut«, willigte sie leise ein. Sie sah kurz auf ihre Armbanduhr. »Gleich sechs, das Museum hat sicher schon zu. Warum kommt ihr nicht morgen zum Frühstück zu uns? Meine Mutter hat bestimmt nichts dagegen und von Friedrichshain ist es nur ein Katzensprung bis zur Museumsinsel.«

Sie erklärte Olaf und Dagmar, an welcher S-Bahn-Station sie aussteigen und welchen Weg sie nehmen mussten, um in die Boxhagener Straße zu gelangen, wo sie wohnte.

»Wo wohnst *du* eigentlich?«, wollte Dags von Olaf wissen.

Die Frage klang harmlos, aber in ihren Augen lag ein beunruhigendes, wissbegieriges Funkeln. Olaf sah erst jetzt, dass sie die perlmuttfarbene Spange in die Haare gesteckt hatte, und plötzlich hatte er das ungute Gefühl, ihre Neugier könnte mit diesem Geschenk zusammenhängen.

»Nicht so weit vom Osten entfernt, dass ich besonders früh aufstehen müsste«, wich er der Frage aus. Er wollte verdammt sein, wenn er dem Mondgesicht auch nur einen einzigen Hinweis gab, der die Gefahr mit sich brachte, dass Guddie oder Dags von seinen Diebstählen erfuhren.

Dags lag mit im Nacken verschränkten Händen auf ihrem Bett und starrte zur Zimmerdecke hinauf. Ein schwacher Luftzug drang durch das geöffnete Fenster und bewegte ein über ihr befestigtes Mobile, an dessen dünnen Fäden unzählige kleine Teddybären aus bunt lackiertem Holz hingen. Jedes Mal, wenn Dags das Mobile sah, nahm sie sich vor, es endlich abzuhängen.

O Mann! Sie hatte Guddie eine schlaflose Nacht prophezeit und jetzt lag sie selbst seit fast drei Stunden im Bett und konnte nicht einschlafen. Die Ereignisse des Tages rotierten und summten wie ein Kreisel durch ihren Kopf. Dass sie ihren Eltern nichts von der Entführung er-

zählt hatte, bereitete ihr kein schlechtes Gewissen. Schließlich war es Guddie, der alles passiert war, und wenn sie
selbst auch nicht im Geringsten daran zweifelte, dass Guddie die Wahrheit gesagt hatte, gehörten doch weder Herr
noch Frau Kreuzer zu den Menschen, die sich auf etwas
anderes verließen als auf nachweisbare Tatsachen. Sie würden die Geschichte als Hirngespinst abtun, genau wie dieser dämliche Bulle in der Keithstraße.

Dags grinste. Der Gedanke an ein Abenteuer löste ein
erwartungsvolles Kribbeln in ihrem Bauch aus. Vielleicht
würde der Sommer doch nicht so langweilig werden, wie
sie noch an diesem Nachmittag gedacht hatte.

*Und wenn nichts draus wird, kann ich immer noch versuchen
hinter Olafs Geheimnis zu kommen.*

Sie beschloss, sich etwas zu trinken zu holen, kletterte
aus dem Bett und schlich durch den dunklen Flur zur Küche. Überrascht bemerkte sie, dass unter dem Türspalt
Licht hervordrang. Als sie die Tür öffnete, sah sie ihren
Vater inmitten einer Unmenge von Papieren am Tisch sitzen. Typisch für ihn, dass er es gar nicht erst bis in sein
Arbeitszimmer geschafft hatte.

»Hallo, Papa. Bist du eben erst nach Hause gekommen?«

Herr Kreuzer nickte. »Ist spät geworden im Labor. Und
dann kam auch noch Dr. Freeling an, zwei Tage zu früh.
Wir wussten kaum, wo wir ihn unterbringen sollten. Beinahe hätte ich ihn mit hierhergebracht.« Er grinste flüch-

tig und Dags wusste, dass er an die Reaktion ihrer Mutter auf unangekündigte Gäste dachte.

»Er ist wegen des neuen Projekts gekommen, oder?«, fragte sie. »Was macht ihr für Versuche in den nächsten Wochen?«

»Zu kompliziert, um das zu erklären«, antwortete Herr Kreuzer knapp. »Warum bist du noch wach?«

»Ich hab Durst.«

Dags ging zur Spüle und ließ sich ein Glas Leitungswasser einlaufen. Sie wusste, dass ihr Vater ihr früher oder später erzählen würde, woran er arbeitete. Er war stolz auf seine wissbegierige Tochter, stolz darauf, dass es ihr leichtfiel, Fakten zu behalten, und wann immer er konnte, bestärkte er sie in ihrem Vorhaben, Wissenschaftlerin zu werden. Na ja, vielleicht nicht immer, dachte Dags nach einem Blick zum Tisch, an dem ihr Vater sich wieder in seine Papiere vertieft hatte. Sie trank das Wasser und stellte das Glas ab. »Wo ist Dr. Freeling denn nun untergekommen?«, fragte sie.

Herr Kreuzer sah von seinen Unterlagen auf, zog kurz die Stirn kraus und fuhr sich mit einer Hand durch die schütteren Haare. »Letztendlich mussten wir ihn in einem Hotel einquartieren, weil die wenigen Zimmer im Institut noch belegt sind«, antwortete er. »Ein teurer Spaß wird das. Auf die Schnelle war nichts anderes mehr zu kriegen als ein Zimmer im Kempinski. Gute Nacht, Schatz.«

Dags ging langsam zurück in ihr Zimmer. Sie trat ans Fenster, legte die Hände auf den Rattenkäfig und starrte nachdenklich hinaus in die Nacht. Ein schwaches, orangefarbenes Leuchten lag auf den Dächern der Stadt, hervorgerufen durch Millionen von Lichtern. Romeo krabbelte aus seinem Bett aus Heu und Papierfetzen, blinzelte verschlafen und kletterte am Maschendraht des Käfigs empor. Dags öffnete den Drahtdeckel und nahm ihn heraus. Ein Grinsen hatte sich in ihr Gesicht geschlichen, das immer breiter wurde.

»KEM für Kempinski, du Herzchen«, flüsterte sie. Sie hob Romeo hoch und sah in seine Augen, die wie zwei schwarze Diamanten funkelten. »Und ich verwette deinen süßen kleinen Rattenschwanz, dass 5018 eine Zimmernummer ist!«

Kapitel 5
Bilder einer Ausstellung

Guddie war überrascht, als sie am nächsten Morgen die Küche betrat und ihre Mutter ausgehbereit, aber mit einer Wärmflasche auf dem Schoß am Tisch sitzen sah.

»Bauchschmerzen«, erklärte Frau Berger. Sie verdrehte in gespielter Dramatik die Augen. »Schon seit gestern Abend. Hoffentlich nichts Ernstes. Meine Periode kann es jedenfalls nicht sein. Möchtest du einen heißen Kakao?«

»Was trinkst du?«

»Tee.«

»Nehm ich auch.«

Sie setzte sich und beobachtete, wie ihre Mutter dampfenden Tee aus der Thermoskanne in eine Tasse goss. Es war dieselbe Thermoskanne, aus der sie beide während der Renovierung der Wohnung im letzten Winter heiße Suppe geschlürft hatten. Die wochenlange Schufterei hatte sich gelohnt. Die kleine Dreizimmerwohnung lag im vierten Obergeschoss eines Altbaus, sie war hell und gemütlich. In jedem Winkel standen und hingen Grünpflanzen, für die sowohl Guddie als auch ihre Mutter eine Vorliebe hatten. Die Einrichtung war spärlich, für viele neue Möbel hatte das Geld nicht gereicht. Aber Guddie vermutete, ihre Mutter hätte selbst dann darauf bestanden, die Wohnung neu einzurichten, wenn ihr geschiedener Mann nicht alle Möbel behalten hätte. Sie wollte durch nichts an ihr altes Leben erinnert werden.

Guddie pustete in ihre Tasse und trank einen Schluck Tee. »Du solltest zu Hause bleiben«, sagte sie besorgt.

»So schlimm ist es nicht.« Frau Berger legte die Wärmflasche hin und griff nach ihrer über der Stuhllehne hängenden Handtasche. »Wenn die Bonhofer meine Arbeit übernimmt, muss ich hinterher nur das Chaos sortieren.« Sie sah Guddie forschend an. »Bedrückt dich irgendwas, Schatz?«

»Warum?«

»Du siehst so aus.«

»Keine Probleme.«

»Ehrenwort?«

»Mhm.« Guddie rang sich ein Lächeln ab und ging mit bis zur Wohnungstür.

»Nachher kommen Dagmar und dieser Junge?«

»Olaf.«

»Ich freu mich, dass du endlich ein paar Freunde gefunden hast!« Mutter fuhr ihr durch die Haare und drückte ihr einen Kuss auf die Nase. »Schönen Tag. Und pass auf dich auf, Schatz.«

Das werde ich, dachte Guddie, während die Schritte ihrer Mutter im Treppenhaus verklangen. Sie holte ihre Tasse aus der Küche und ging ins Wohnzimmer, wo sie sich ans Fenster stellte und über das Dächermeer von Friedrichshain starrte, aus dem sich unzählige Fernsehantennen einem wolkenbedeckten Himmel entgegenstreckten.

Sie stand über eine halbe Stunde am Fenster, trank langsam den Tee und überlegte, warum sie nicht, wie sie es sich vorgenommen hatte, von der Entführung erzählt hatte. Die einfache Antwort war, dass ihre Mutter genug eigene Probleme am Hals hatte. Ihre Arbeit bei der Bank war oft anstrengend und machte ihr keinen Spaß. Es fiel ihr genauso schwer wie ihrer Tochter, in Berlin neue Freunde zu finden, und Guddie hatte sie mehr als einmal dabei ertappt, wie sie alte Fotos betrachtete. Bilder aus besseren Tagen.

Nein. Wenn es schiefgeht, wenn wir nichts im Museum finden, was uns weiterhilft … Dann erzähle ich ihr, was passiert ist. Dann kann sie zur Polizei gehen, wenn sie will. Vorher nicht.

Sie zuckte zusammen, als es klingelte, lief aus dem Wohnzimmer und öffnete die Tür.

»Ich hab den ganzen verdammten Weg praktisch umsonst gemacht! Warum habt ihr auch kein Telefon?« Dags stapfte mit hochrotem Kopf an ihr vorbei in den Flur, einen riesigen Blumenstrauß unter dem linken Arm. »Mein Gott, hier sieht's ja aus wie im Gewächshaus!«

»Auch einen schönen guten Morgen!« Olaf schwenkte grimassierend eine Brötchentüte. Seine Haare waren zerzaust, als sei er gerade erst aufgestanden. »Wir haben uns auf der Straße getroffen.«

»Was soll das heißen, der Weg war umsonst?«, wollte Guddie wissen, nachdem sie beide in die Küche geführt hatte.

»Ich weiß, was KEM 5018 bedeutet!« Dags machte eine kurze dramatische Pause und legte den Blumenstrauß auf die Anrichte. »Es ist eine Zimmernummer im Hotel Kempinski und das liegt am Ku'damm. Ich hätte gleich hingehen können.«

»Die Buchstaben und Zahlen können sonst was bedeuten.« Olaf schüttete unbeeindruckt die Brötchen aus der Tüte in einen Korb, während Guddie den Tisch deckte. »Und das Muster ist damit auch nicht erklärt.«

»Es ergäbe einen Sinn«, beharrte Dags. Sie zog ihre Jacke aus, hängte sie über einen Stuhl und setzte sich. »Der Mann im Anzug ging zu Fuß zum Bahnhof Zoo, und vom Kempinski zum Zoo sind es keine zehn Minuten. Ich fresse einen Besen, wenn der Typ nicht dort wohnt.«

»Gewohnt hat«, verbesserte sie Guddie.

»Meinetwegen … Jedenfalls kennen wir seine Zimmernummer und jetzt können wir seinen Namen herausfinden.«

»Na ja, ist vielleicht einen Versuch wert.« Olaf setzte sich ebenfalls und goss sich ein Glas Milch ein. »Ich hab letzte Nacht kaum geschlafen«, gestand er. »Ständig hab ich überlegt, was dieser Mann im Museum entdeckt haben könnte.«

Dags zuckte die Achseln. Sie hatte eine Brötchenhälfte mit Marmelade bestrichen und wollte sie sich gerade in den Mund schieben, als ein klägliches Fiepen ertönte. Olaf zog ein angewidertes Gesicht, als sie Romeo aus ihrer Jacke holte und ihn vor sich auf den Tisch setzte. »Warum schleppst du eigentlich dieses Viech mit dir rum?«, fragte er.

»Romeo ist mein Partner. Wir werden gemeinsam berühmt und unsterblich.«

»Und warum willst du berühmt und unsterblich werden?«

»Ganz einfach«, antwortete Dags. »Weil auf meinem Grabstein später mal nicht stehen soll: *Hier ruht Dagmar Kreuzer. Sie hinterließ keinen bleibenden Eindruck.*« Sie wandte sich an Guddie. »Hast du ein paar Cracker oder so was für ihn übrig? Ich hab noch keine Zeit gehabt, ihn zu füttern.«

»Frisst er Toast?«

»Wenn er Hunger hat, sogar mit Packung.«

Guddie kramte eine trockene Scheibe Toast aus dem Küchenregal und hielt sie Romeo unter die Schnauze. Sie brach in lautes Lachen aus, als er sich auf die Hinterbeine setzte und etwas plumpe Tanzbewegungen vorführte, bevor er sich geräuschvoll über den Toast hermachte.

»Fragt nicht, weshalb ich das Herzchen ins Kempinski mitnehme«, sagte Dags kauend. »Ich nehme ihn überallhin mit, warum sollte ich also heute eine Ausnahme machen?«

Olaf stellte stirnrunzelnd sein Glas Milch ab und wischte sich langsam über den Mund. »Wer hat entschieden, dass du allein ins Kempinski gehst?«

»Ich«, antwortete Dags selbstbewusst. »Da reinzukommen ist schon für einen von uns schwer genug. Oder?«

Olafs Kopf war rot angelaufen. Guddie hatte schon gestern das Gefühl gehabt, dass Dags ihm nicht besonders sympathisch war, und ein Streit war das Letzte, worauf sie Lust hatte.

»Also gut, dann gehen Olaf und ich ins Museum«, stimmte sie Dags rasch zu. »Aber wie willst du ins Kempinski kommen und wie willst du den Namen des Mannes herausfinden? Die werden ihn dir doch nicht einfach sagen?«

»Damit.« Dags zeigte auf den Blumenstrauß, der immer noch auf der Anrichte lag und von dem Guddie bis jetzt angenommen hatte, dass er für ihre Mutter bestimmt war.

»Mit einem Blumenstrauß?«

»Das ist kein Blumenstrauß«, sagte Dags mit vollem Mund. Sie leckte sich Konfitüre von den Lippen, grinste und ignorierte Olafs saure Miene. »Es ist eine Eintrittskarte.«

Die Empfangshalle des Kempinski war ein Musterbild von Luxus und Gediegenheit. Indirektes Licht verjagte jeden Schatten, Schritte wurden von einem pastellfarbenen grünen Teppich gedämpft und die wenigen, elegant gekleideten Menschen, die sich hier aufhielten, sprachen so leise wie die Gäste einer Beerdigung. Angesichts der Tatsache, dass der mutmaßliche ehemalige Bewohner von Zimmer 5018 vielleicht schon Fischfutter war, empfand Dags dies nur als angemessen.

Sie hatte überlegt, einfach die Lobby zu durchqueren und schnurstracks zum Fahrstuhl zu gehen, den Gedanken aber sofort wieder verworfen. Das Personal in solchen Hotels besaß ein geschultes Auge und ein gutes Erinnerungsvermögen. Wer nicht zu den Hotelgästen zählte, wurde sicher sofort erkannt und aufgehalten.

Ohne einen weiteren Blick nach rechts oder links zu werfen, ging sie zielstrebig auf die Rezeption zu, wo der Portier, ein hochgewachsener Mann mit grau melierten und sorgfältig gestutzten Haaren, geschäftig einen Stapel Post sortierte. Sie wusste, dass er ihr nicht sagen würde, wer Zimmer 5018 bewohnte. Portiers waren nicht umsonst berühmt für ihre Diskretion. Aber sie wollte ohnehin mehr, als lediglich den Namen des Mannes im grauen Anzug erfahren.

Sie wollte sein Zimmer durchsuchen.

Vor dem polierten Marmortresen baute sie sich auf und spähte am Portier vorbei an die Wand mit dem

Schlüsselbrett. Der Schlüssel für Zimmer 5018 hing an seinem Haken. Der für Zimmer 2006 fehlte.

Gut. Genau, wie sie gehofft hatte.

Dags räusperte sich. »Guten Tag. Ich bringe Blumen für Professor Nicholas Freeling. Zimmer 2006.«

Sie hatte am Morgen ihren Vater nach der Zimmernummer gefragt, in der Gewissheit, dass ihr Interesse daran ihn nicht weiter verwundern würde. Herr Kreuzer war so schusselig, dass ihn selbst die Frage nach der Farbe der Unterwäsche seines englischen Kollegen nicht erstaunt hätte.

»Leg sie hin«, sagte der Portier nach einem Blick auf das Schlüsselbrett kurz angebunden. »Ich lasse sie auf sein Zimmer bringen.«

»Ich soll sie persönlich abgeben und Professor Freeling etwas ausrichten. Das Institut für angewandte Onkologie in Steglitz schickt mich.«

Der Portier hatte bisher kaum von seiner Post aufgesehen. Jetzt musterte er Dagmar und sein Blick huschte verwirrt zwischen ihrem blauen und dem braunen Auge hin und her. »Hat das was mit Kaffee zu tun?«

»Krebsforschung«, gab Dags liebenswürdig zurück. »Onkel Nick – Professor Freeling, meine ich – erwartet mich.«

»Davon weiß ich nichts.«

»Dachte ich mir.« Sie lächelte verschwörerisch. »Ich sage das nur ungern, aber Onkel Nick, äh ... ist nicht mehr ganz frisch! Als wir ihn Weihnachten letztes Jahr besuchten, hat er mir einen Osterhasen geschenkt und mir zum Geburtstag gratuliert. Sie wissen schon: Professoren!«

Die Züge des Portiers hellten sich auf. Zweifellos hatte er zahllose Geschichten über verrückte Professoren und sonstige exzentrische Hotelgäste auf Lager. »Na, dann will ich dich nicht weiter aufhalten.« Er zeigte auf den Lift am anderen Ende der Lobby, an dem soeben ein E für Erdgeschoss aufleuchtete. Die Tür öffnete sich geräuschlos und entließ ein älteres Ehepaar.

»Vielen Dank.«

Gute Vorstellung, dachte Dags. Leider zu wenig Zuschauer. Sie betrat den Fahrstuhl und drückte auf den Knopf für den zweiten Stock. Der Lift setzte sich mit einem leisen elektronischen Summen in Bewegung. Sie wartete einen Moment – nur so lange, wie der Portier brauchen würde, um sich mit einem Blick auf die Leuchtanzeige zu versichern, dass sie tatsächlich in die zweite Etage fuhr –, bevor sie auch noch den Knopf für den fünften Stock presste. Erleichtert atmete sie auf. Die erste Hürde war genommen. Jetzt musste sie nur noch in Zimmer 5018 gelangen.

Sie hatte fest damit gerechnet, dass das Reinigungspersonal vormittags wie ein Heuschreckenschwarm über die Hotelzimmer herfallen würde, und sie hatte sich nicht getäuscht. Als die Fahrstuhltür zur Seite glitt, stand sie vor einem weitläufigen, mit weinrotem Teppich ausgelegten Korridor. Eine ältere Frau in einem hellblauen Kittel stand auf halber Höhe vor einem Rollwagen, auf dem sie gebrauchte Wäsche auseinandersortierte.

»Entschuldigung, aber ich habe ein kleines Problem.« Dags war forsch auf die Frau zugegangen und deutete hinter sich auf die massive Holztür mit der Nummer 5018. »Mein Vater hat den Zimmerschlüssel mitgenommen. Eigentlich wollte er längst wieder hier sein, ist er aber nicht. Und, nun ja, jetzt komme ich nicht rein.«

Mit der Geschwindigkeit eines Computers versuchte sie das Zimmermädchen einzuschätzen. Gepflegtes Äußeres – die Frau würde nie Ärger mit der Hotelleitung riskieren. Leicht gebeugter Rücken von der Arbeit, ein etwas verbitterter Zug um die Mundwinkel – sie mochte ihren Job nicht. Eine krause Stirn, kleine Pupillen: Sie war misstrauisch oder hielt Dags einfach für ein weiteres Kind reicher Leute, das ihr auf die Nerven gehen wollte. Dags entschied sich für Letzteres.

Sie lächelte, zog mit einer eleganten Handbewegung eine Rose aus dem Blumenstrauß und drückte sie der verdutzten Frau in die Hand. »Wenn Sie mich freundlicherweise reinlassen würden, muss ich nicht noch mal runter zur Rezeption laufen.«

Im Gesicht der Frau ging von einem auf den anderen Moment die Sonne auf. »Na, so was Nettes hab ich ja selten erlebt! Das nenne ich Erziehung!« Sie griff nach der Rose, legte sie auf den Wagen und zog eilfertig einen Schlüsselbund aus ihrer Kitteltasche.

Dags fragte sich, wie sie reagieren sollte, falls das Zimmermädchen sich plötzlich darüber wunderte, dass sie gemeinsam mit ihrem Vater ein Einzelzimmer bewohnte. Sie sah den Korridor hinab und maß den Abstand zwischen den Türen.

Es könnte ein Doppelzimmer sein. Oder eine Suite.

»5018. Da haben wir ihn.« Die Frau hatte den passenden Schlüssel gefunden und öffnete die Tür mit einem nicht ganz ernst gemeinten Knicks. Sie strahlte immer noch über das ganze Gesicht. »Bitte sehr, Fräulein.«

Dags sah sie an. Den Portier zu belügen hatte ihr nichts ausgemacht. Aber diese Frau war wirklich nett, und wenn herauskam, dass sie Dags in das Zimmer gelassen hatte …

Kurz entschlossen drückte sie ihr den ganzen Blumenstrauß in die Hand und schlüpfte an ihr vorbei in das Zimmer. Sie drückte die Tür hinter sich zu und lehnte sich mit einem triumphierenden Lächeln gegen das kühle Holz. Der erste und schwierigste Teil war geschafft. Es musste schon mit dem Teufel zugehen, wenn jetzt noch etwas dazwischenkam.

Die Ankündigung stand in großen schwarzen Lettern auf einem schlichten Stück Pappe, das mit Tesastreifen von innen am Fenster des Kassenhäuschens befestigt war.

Von Samstag 3. Juli bis einschließlich
Sonntag 1. August bleibt das Museum
wegen Umbauarbeiten geschlossen.

»Heute ist Donnerstag«, kommentierte Guddie den Aushang, nachdem sie zwei Eintrittskarten gelöst hatte. »Glück gehabt.«

»Das wird sich noch zeigen«, gab Olaf leise zurück. »Wenn wir bis morgen nicht gefunden haben, wonach wir suchen, ist der Fall gelaufen.«

Sie ließen die Tickets entwerten und standen kurz darauf in dem Saal, der dem Museum seinen Namen gegeben hatte. Auf dem mächtigen Unterbau eines tempelähnlichen Altars aus der Stadt Pergamon erhob sich ein Gang aus unzähligen schlichten weißen Säulen, zu dem man über eine breite Freitreppe aus Marmor gelangte. Der Pergamonaltar war das einzige Ausstellungsstück in dem großen Saal, über dessen restliche Wände sich ein gigantisches, bruchstückartiges Relief erstreckte. Es stellte, wie Guddie einem an der Wand angebrachten Schild entnahm, den Kampf der griechischen Götter gegen die Titanen dar.

»Wir sollten davon ausgehen, dass die Zickzacklinie alles Mögliche darstellen kann«, sagte Olaf leise. »Die Zacken einer Krone, die Form einer Kette um den Hals einer Statue, eine Verzierung …«

»Meinst du, der Mann im Anzug hat herausgefunden, dass etwas von hier gestohlen werden soll?«

»Könnte sein. Aber dann muss es sich um etwas Kleines handeln, das leicht transportiert werden kann.« Olaf deutete auf den Pergamonaltar. »Nicht so was wie das da!«

»Also müssen wir die beiden Seitenflügel absuchen«, sagte Guddie. Die Frau an der Kasse hatte ihnen erklärt, dass sich im linken Seitenflügel des Museums die Antikensammlung befand, während der rechte fast ausschließlich vorderasiatischer Kunst vorbehalten war. »Welchen willst du nehmen?«

Olaf entschied sich für den linken. Als Guddie den rechten Seitenflügel betrat, stockte ihr der Atem. In dem riesigen Raum befanden sich ausgesuchte Beispiele römischer Architektur – Säulen, die bis hoch unter die Decke ragten, ein friesverzierter Giebel, ein im Boden eingelassenes Mosaik. Aber all das verblasste gegen die Fassade eines Tores, das über eine Höhe von annähernd zwanzig und eine Breite von knapp dreißig Metern eine komplette Wand des Saales einnahm. *Markttor von Milet,* informierte ein davor angebrachtes Schild. *Erbaut um 120 n. Chr.*

Das zweigeschossige Tor leuchtete warm in den honiggelben Strahlen der durch das Oberlicht einfallenden Sonne. Jede Einzelheit der aus behauenem Stein bestehenden Rundbogen, der beiden Seitenflügel, des größeren Mittelgiebels sowie der sie stützenden Säulen trat gleichzeitig scharf konturiert und sanft hervor. Guddie hatte noch nie etwas Schöneres gesehen.

Die Fassade diente als Eingang in den angrenzenden

Saal, wo sich ein weiteres Tor befand, eingerahmt und flankiert von blau gekachelten Mauern, in die mosaikartig rotgoldene Löwen eingelassen waren – die Prozessionsstraße der Ischtar, einer babylonischen Göttin, wie Guddie auf einem weiteren Schild las. Obwohl das Tor von gigantischen Ausmaßen war, gefiel es ihr nicht halb so gut wie das Tor von Milet im ersten Saal.

Sie ging weiter, von Raum zu Raum, und jeder Schritt führte sie tiefer in eine Vergangenheit, die sie nicht kannte, in Länder und Orte, deren Namen exotisch und geheimnisvoll klangen: Babylonien, Assyrien, Samarra, Uruk … Vielleicht war das derselbe Weg, den der Mann im hellgrauen Anzug genommen hatte. Aber was hatte er gesucht, was hatte er *gesehen*? Ein großer Teil der Ausstellungsstücke war kostbar und klein genug, um aus dem Museum gestohlen werden zu können. Doch auf keinem von ihnen fand sich eine Spur des Zickzackmusters – weder auf den glasierten Gefäßen aus gebranntem Ton noch auf den Kugelfläschchen aus farbigem zartem Glas, auf den kunstvoll bearbeiteten Plastiken von Menschen oder Fabelwesen ebenso wenig wie auf den winzigen rotbraunen Terrakottafiguren oder den schlanken Statuetten aus weißem Alabaster.

Um diese Tageszeit waren nur wenige Besucher im Museum. Dennoch hielt sich in jedem Raum ein Mann oder eine Frau des Wachpersonals auf, die darauf achteten, dass niemand die Ausstellungsstücke berührte. Hier und dort saßen Studenten, eifrig damit beschäftigt, die Schönheit der Antike mit Kohlestiften auf ihrem Zeichenpapier festzuhalten. Guddie beneidete sie um ihre Geduld. Nach einer Stunde ergebnislosen Suchens gab sie auf und trat entmutigt den Rückweg durch den Pergamonsaal an. Olaf erwartete sie bereits in der Eingangshalle. Ihm war schon von weitem anzusehen, dass er genauso wenig entdeckt hatte wie sie selbst.

»Man kann sein ganzes Leben lang hier herumlaufen, ohne zu finden, was wir suchen. Das verdammte Museum ist einfach zu groß!«, sagte er.

»Also Fehlanzeige und Ende des Falls?«

»Sieht so aus. Obwohl …« Er sah nachdenklich auf einen Verkaufsstand gegenüber der Kasse, wo ein grauhaariger alter Mann Ansichtskarten, Poster und Bücher verkaufte. »Wir könnten ein Buch über das Museum mitnehmen. Vielleicht entdecken wir auf Fotos der Ausstellungsstücke etwas, das wir übersehen haben.«

»Gute Idee.«

Der alte Mann nickte freundlich, als Guddie nach einem Buch über das Museum fragte. Er zog einen großen Bildband aus dem hinter ihm stehenden Regal und legte ihn vor ihr und Olaf auf den Tisch. »Unser neuestes Werk«, sagte er. »Da steht alles drin.«

Guddie klappte das Buch auf und ließ die glänzenden Seiten rasch durch ihre Finger gleiten. Ein kurzer Blick auf die darin enthaltenen Zeichnungen und Fotos reichte, um festzustellen, dass der Verkäufer sie missverstanden hatte. Dies hier *war* ein Buch über das Pergamonmuseum, aber es behandelte ganz speziell das Bauwerk als solches, seine Entstehungsgeschichte und Architektur, die Veränderungen, die es im Lauf der Zeiten durchgemacht hatte. Lagepläne, Bauskizzen, Fotos der durch den Krieg verursachten Schäden … Es befanden sich so gut wie keine Bilder von Ausstellungsstücken darin. Sie blätterte die letzten Seiten um und wollte gerade nach einem anderen Buch fragen, als ihr Blick auf ein doppelseitiges Farbfoto fiel.

Plötzlich begannen ihre Beine zu zittern, so wie gestern, als sie am Geländer über dem Kanal gestanden hatte. Entgeistert starrte sie das Foto an. Es zeigte den Pergamonaltar, aber seltsamerweise schien er nur als Kulisse für eine Art Modenschau zu dienen, die eine Handvoll schlanker und bildschöner Frauen auf seinen Stufen veranstalteten.

Es *war* eine Modenschau. Die Models trugen teure und elegante Kleider in allen erdenklichen Farben und sie lächelten in die Kamera oder zum Publikum herab, das sich zu beiden Seiten der Stufen wie zu einer Anbetung versammelt hatte, Frauen und Männer, deren Gesichter schlecht beleuchtet und nur im Profil zu erkennen waren.

Bis auf eines.

Dieses Gesicht hätte Guddie überall wiedererkannt. Der Mann starrte gelangweilt und unbeeindruckt an den

Models vorbei. Er musste direkt in die Kamera des Fotografen geschaut haben, denn unter dem blendenden Blitzlicht glänzte sein völlig kahler Kopf wie eine Christbaumkugel.

»Was ist das?«, fragte Guddie den Verkäufer. Ihre Stimme war vor Aufregung zu einem Flüstern herabgesunken.

»Darf ich?« Der alte Mann zog das Buch zu sich zurück. Sein zerfurchtes Gesicht hellte sich auf, als er das Foto sah. »Oh, das! Na, das war mal ein interessantes Experiment. Eine Modenschau auf den Stufen des Pergamonaltars. Die schönsten Frauen der Welt, umgeben von vollkommener, makelloser Architektur!« Er kicherte. »Das Vergängliche und die Ewigkeit. Einige Kunstfreunde haben sich damals mächtig darüber aufgeregt.«

»Wann war diese Modenschau?«, fragte Olaf. Guddie war froh und dankbar, dass er ihr damit das Fragen abgenommen hatte. Sie befürchtete, dass ihre Stimme vollends versagen würde, sobald sie noch einmal den Mund aufmachte.

Der alte Mann kratzte sich am Kopf. »Das war … lasst mich überlegen … 1990 muss das gewesen sein, im September. Fast jeder, der in der Modebranche Rang und Namen hat, war anwesend.« Er zeigte auf das schemenhafte Profil eines bärtigen Mannes. »Das hier zum Beispiel ist Paco Rabanne, der baskische Designer und Hersteller. Die Ausstellung war seine Idee.«

»Und der hier?« Guddies Finger verharrte einen Zentimeter über dem Gesicht des Glatzkopfes in der Luft.

Der alte Mann nahm seine Brille ab und beugte sich mit zusammengekniffenen Augen dicht über das Foto. »Keine Ahnung«, sagte er mit einem Kopfschütteln.

Guddie nickte und blätterte wie beiläufig bis zum Schluss des Buches. Sie fand sofort, was sie suchte. Auf der letzten Seite gab es einen klein gedruckten Bildnachweis – die Namen aller Fotografen oder Institute, die Fotos, Bilder und Zeichnungen für das Buch zur Verfügung gestellt hatten. Wenn sie etwas mehr Zeit hätte …

Sie bemerkte, dass der Verkäufer sie neugierig beobachtete, und klappte das Buch abrupt zu. »Es ist sehr schön«, sagte sie und verzog das Gesicht zu einer Grimasse, von der sie hoffte, dass sie einem entwaffnenden Lächeln glich. »Ist es … ist es sehr teuer?«

»Nun, ich kann es euch leider nicht billiger lassen«, erwiderte der alte Mann bedauernd.

»Was kostet es?« Anscheinend hatte Olaf bemerkt, dass sie etwas in dem Buch entdeckt hatte, denn er hatte eine neue Geldbörse aus warmem braunem Leder auf den Tresen gelegt. Dass er das Buch kaufen wollte, überraschte Guddie ebenso sehr wie die Tatsache, dass er das Portemonnaie mit einem verwirrten Stirnrunzeln betrachtete und dann ein zweites, aus abgewetztem grünem Acryl mit Klettverschluss, aus der Tasche zog.

»Es kostet achtundsiebzig Mark.« In der Stimme des

alten Mannes lag ein beinahe entschuldigender Unterton. »Das liegt an der kleinen Auflage und außerdem daran, dass die Fotos auf Hochglanzpapier —«

»Wir kaufen es«, fiel Olaf ihm ins Wort. Guddie riss ungläubig die Augen auf, als er einen Hundertmarkschein aus dem grünen Portemonnaie zog und damit bezahlte.

»Na, das freut mich aber!« Der Mann lächelte Olaf an, als er ihm das Wechselgeld herausgab. »Es ist immer schön, wenn die Jugend sich für Kunst interessiert und —«

»Ja, ja«, unterbrach Olaf ihn grob. »Danke.« Er stopfte das Geld achtlos in die Hosentasche und griff nach dem Buch. Dann nahm er Guddie an der Hand und zog sie hastig hinter sich her dem Ausgang entgegen.

»Hey, was soll das?« Sie schüttelte unwillig seine Hand ab, als sie auf dem Vorplatz angekommen waren, und funkelte ihn erbost an. »Warum warst du so fies zu dem alten Mann? Er war nett und hat versucht uns zu helfen, und du …«

»Tut mir leid.« Olaf fuhr sich mit den Fingern durch die Haare. »Ich dachte, der würde uns ein Ohr abschwätzen, wenn wir noch viel länger da stehen bleiben. Tut mir echt leid.«

»Ist schon gut …« Guddie fiel ein, dass sie diesen Dialog schon einmal geführt hatten, gestern, als sie sich kennengelernt hatten, und ein warmes Gefühl breitete sich in ihr aus. Okay, okay, gab sie vor sich selber zu. Du magst ihn, na und …?

»Du hast die Brieftasche liegenlassen«, sagte sie etwas ruhiger. »Die aus braunem Leder.«

Olaf schüttelte den Kopf. »Ich hab sie im Museum gefunden. Wollte sie sowieso abgeben. Vielleicht meldet sich jemand bei dem Verkäufer. Wenn nicht, kann er sie behalten. Ich meine«, fuhr er nervös fort, »du hast es ja selbst gesagt, er war sehr nett.«

»Woher hast du so viel Geld? Das Buch war teuer.«

»Meine Eltern sind reich.«

Die Antwort klang so knapp und endgültig, dass Guddie beschloss ihn auf dieses Thema vorerst nicht wieder anzusprechen … obwohl es sie brennend interessierte.

Olaf schwieg, den Blick nachdenklich geradeaus gerichtet. Dann sah er zum Himmel hinauf, der sich mittlerweile vollkommen bezogen hatte, und streckte eine Hand aus. Zwei winzige Tropfen erschienen auf seinem Handrücken.

»Es regnet«, sagte er.

Kapitel 6

KEM 5018

Die Suite war mit champagnerfarbenem Teppich ausgelegt, ein Traum aus Licht und sanften Farben. Um einen niedrigen Glastisch gruppierten sich helle Ledersofas. Einige erlesene Antiquitäten und eine hohe Bodenvase voller roter Gladiolen vervollständigten die Einrichtung im linken Teil des Raumes. Die rechte Hälfte wurde von einer weiteren Sitzgruppe und einem wuchtigen Schreibtisch eingenommen.

»Also, was halten Sie davon, Sherlock Holmes?« Dags holte Romeo aus der Jacke und pflanzte ihn sich auf die Schulter. Er hob schnuppernd die Nase in die Luft, dann fuhr er sich mit beiden Pfoten protestierend über die Schnauze. »Ich weiß«, flüsterte sie. »Hier stinkt's nach Geld.«

Es gab zwei weitere Türen – vermutlich führten sie in ein Schlafzimmer und das Bad –, doch Dags beschloss, diese beiden Räume erst zum Schluss zu durchsuchen. Sie hatte nicht viel Zeit. Jede Minute konnte ihr Schwindel auffliegen und jemand vom Hotelpersonal auftauchen, der sie an die frische Luft setzen oder die Polizei verständigen würde.

Also los, beeil dich! Sie zögerte nicht lange und ging zu dem mahagonifarbenen Schreibtisch, der bis auf das daraufstehende Telefon leer war. Oder beinahe. Neben dem Telefon lag ein Block mit dem schlichten Aufdruck *Kempinski*. Sie blätterte ihn durch. Alle Seiten waren unbeschrieben. Sie zog eine Schublade nach der anderen auf. Nichts. Wenn es überhaupt wichtige Unterlagen gab, mussten sie sich im Hotelsafe befinden.

Sie schob die unterste Schublade gerade wieder zu, als das unverkennbare Klimpern eines Schlüssels ertönte, der in ein Schloss gesteckt wird. Ihre Beine wurden von einem auf den anderen Moment zu Pudding.

Ein Klacken, als der Schlüssel umgedreht wurde.

Sie sah sich gehetzt um. Außer dem Schreibtisch befanden sich lediglich ein kleiner Tisch, zwei Sessel und ein Sofa im Biedermeierstil in ihrer Nähe. Das Sofa stand von der Wand abgerückt …

Das Lachen einer Frau. Die Tür schwang auf.

Dags griff nach Romeo, kletterte kurzerhand über das Sofa und ließ sich hinter dem Möbelstück auf die Knie fallen. Sie versuchte ihr heftiges Atmen unter Kontrolle zu bringen und das Zittern ihrer Hände zu unterdrücken.

O Himmel, lass sie mich nicht gehört haben, lass sie mich nicht sehen, ich will nie wieder einbrechen, ich werde keine Fleckenmittel mehr erfinden und keine Widerworte mehr geben, ich werde nie wieder im Zimmer meines Bruders herumschnüffeln!

Die Tür schlug zu. Die Frau lachte noch immer und jetzt mischte sich in ihr Lachen die tiefe Stimme eines Mannes. Er redete englisch. Dags duckte sich etwas tiefer, hielt Romeo fest und blinzelte zwischen den geschwungenen Beinen des Sofas hindurch in die andere Hälfte der Suite.

Die Frau war jung und wunderschön. Ein cremefarbenes Kostüm betonte ihre knabenhafte Figur, der kurze Rock lenkte den Blick sofort auf ein Paar langer, schlanker Beine. Eine Flut blonder Locken fiel über die Schultern der Frau, als sie zwei schicke Einkaufstüten vor dem Glastisch abstellte und sich erschöpft auf eines der Ledersofas fallen ließ.

Der Mann hatte dunkles, sich lichtendes Haar und trug einen blassgrünen Anzug. Selbst auf die Entfernung fielen Dags seine großen dunklen Augen auf, die nicht recht zu seinem schmallippigen kleinen Mund passen wollten.

Er beugte sich über die Frau, gab ihr einen Kuss, und als er sich wieder aufrichtete, hielt er wie aus der Luft gezaubert ein Collier aus funkelnden Brillanten in der Hand. Die Frau legte sich die Kette um, lächelnd, aber ohne ein Wort. Der Mann sah sie dabei so sehnsüchtig an, dass Dags sofort an ihre Mutter dachte. Frau Kreuzer hätte für einen solchen Blick ihre Seele verkauft.

Wie kitschig!, dachte sie. Und wie bescheuert von mir hierherzukommen!

Es war ein Fehler gewesen anzunehmen, die Suite gehöre dem entführten Mann. Es war ein noch größerer Fehler gewesen, unter diesen falschen Voraussetzungen hier einzudringen. Jetzt hatte sie den Salat, saß bei wildfremden Menschen hinter dem Sofa und vergoss vor Angst so viel Schweiß, dass sich bald eine Pfütze um sie herum bilden würde.

Als das Telefon klingelte, schrie sie vor Schreck beinahe laut auf. Sie duckte sich noch etwas tiefer hinter das Sofa und drückte Romeo dicht an ihre Brust. Sekunden später wurde ihr Blickfeld von den Schuhen des Mannes ausgefüllt, der ans Telefon geeilt war.

»*Hello? Oh, it's you!*«, rief er und wechselte dann in die deutsche Sprache. »Nein, nein. Sie stören nicht … Ja, habe ich mir angesehen und ich bin mehr entschlossen als zuvor … Gut! Dann schlage ich vor, dass wir uns morgen treffen an den verabredete Platz. Ich fahre hier los um elf Uhr, dann bin ich dort etwa um … *exactly!*«

Eine längere Pause entstand, in der der Mann nur hin und wieder zustimmende Laute von sich gab. Er musste Amerikaner sein – Dags kannte genügend englische und amerikanische Kollegen ihres Vaters, um zu wissen, dass nur die Amerikaner ein so verwaschenes Deutsch sprachen. Nicht dass es wichtig war. Was sie betraf, konnte der Typ auch auf Chinesisch Kochrezepte austauschen. Sie wollte nur aus dieser blöden Suite verschwinden!

Dann sprach der Mann weiter – und seine Worte ließen Dags die Haare zu Berge stehen.

»Nun, ich bedaure ebenfalls, aber meine Männer werden, wie sagt man, *take care!* Sie werden sich kümmern, wenn alles vorbei ist … Ja, außer Landes. Es wird aussehen wie ein Unfall … Nun, wenn das Kind wirklich etwas gesehen hätte, wären schon die Polizei hier … *Right,* und der Wagen war gemietet … Nein, wie ich gestern schon sagte, nicht auf meinen Namen … *right … See you tomorrow. Goodbye.*«

Ein Klappern ertönte, als der Telefonhörer aufgelegt wurde. Dags beobachtete, wie der Mann zurück in das angrenzende Zimmer ging und mit der Frau sprach. Die beiden waren zu weit entfernt, als dass sie von der leisen Unterhaltung ein Wort hätte verstehen können. Dann nickte der Mann und Dags fiel ein Stein vom Herzen, als er die Suite verließ. Die Frau saß immer noch auf dem Sofa.

Dags ließ sich das Telefongespräch noch einmal durch den Kopf gehen und versuchte sich jedes einzelne Wort einzuprägen. Ein Treffen mit einem Unbekannten, am nächsten Tag, nach elf Uhr. Und der Mann, der entführte Mann …

Er ist hier gewesen! Er war hier und hat sie gesehen, die beiden Amerikaner, den Mann und die Frau. Anschließend ging er ins Museum …

Und jetzt sollte er sterben, wegen einer Sache, die nicht mehr war als ein Zickzackmuster auf einem Zettel. Nein, nicht jetzt, dachte Dags. Erst wenn alles vorbei ist! Sie fröstelte und hoffte, dass Guddie und Olaf im Pergamonmuseum etwas herausgefunden hatten.

Die Frau hatte eine Zeitschrift und eine Keksdose aus einer ihrer Einkaufstüten gekramt, es sich auf dem Ledersofa bequem gemacht und zu lesen begonnen. Die Zeit tröpfelte dahin. Dags wurde zunehmend nervöser. Ihre Beine begannen zu schmerzen, und wenn sie nicht bald aufstand, würden sie einschlafen. Aber sie konnte nicht aufstehen, solange die Frau auf dem Sofa saß. Geistesabwesend streichelte sie Romeo und sah auf ihre Armbanduhr. Seit sie ins Kempinski gekommen war, war über eine Stunde vergangen.

Verdammt, muss die blöde Kuh denn nie aufs Klo?

Die Frau tat ihr den Gefallen nicht. Stattdessen öffnete sie die Keksdose auf ihrem Schoß, nahm ein Stück Gebäck und begann daran zu knabbern, ohne von ihrer Zeitung aufzusehen. Ein paar Krümel fielen am Rand des Sofas herab zu Boden.

Dags bemerkte zu spät, dass sich an ihrer Seite etwas regte. Ihr blieb vor Entsetzen fast das Herz stehen, als Romeo quer durch das Zimmer flitzte, beinahe *rollte,* wie ein schwarz-weißer Fußball, und sich am Fußende des Ledersofas auf die Hinterbeine setzte, wo er langsam, wie zu unhörbarer Musik, seinen Oberkörper hin und her zu wiegen begann.

∿∿

Der Regen hatte schon wieder aufgehört, als Guddie und Olaf vor dem Haus mit der gelb gestrichenen Fassade, den stuckverzierten Erkern und den hohen Fenstern standen. Wasser perlte von den rot blühenden Büschen im Vorgarten und tropfte von den Blättern, die den Bürgersteig flankierten. In dem halbbogenförmigen Hauseingang war ein schlichtes rechteckiges Messingschild befestigt: *Bernd Wörlitzer, Fotograf, 4. Etage.*

Der Name des Fotografen stand nicht nur auf der Seite mit dem Bildnachweis im Buch über das Pergamonmuseum, sondern sie hatten ihn auch im Telefonbuch gefunden – seinen Namen und seine Adresse in Schöneberg.

»Die Modenschau ist schon ein paar Jahre her«, hatte Olaf zu bedenken gegeben, als sie in der U-Bahn saßen. »Selbst wenn dieser Wörlitzer die Namen der Leute kannte, die er damals fotografiert hat, heißt das nicht, dass er sich heute noch daran erinnert.«

»Wir werden sehen«, hatte Guddie geantwortet.

Sie wusste, dass Olaf Recht hatte, aber Bernd Wörlitzer war ihre einzige Chance. *Falls* er sich an den Glatzkopf erinnern konnte. *Falls* er dessen Namen wusste …

Wir werden sehen …

Hinter der Tür im vierten Stock brausten laute Orchesterklänge auf und brachen abrupt wieder ab. Leicht außer Atem vom Aufstieg durch das Treppenhaus drückte Olaf den Klingelknopf. »Ob Dags was rausgefunden hat?«, fragte er leise.

Guddie zuckte die Achseln. »Vielleicht ist sie schon wieder zu Hause und lässt Romeo durch einen Reifen hüpfen.«

»Ich mag diese hässliche Ratte nicht.«

»Hab ich gemerkt … Magst du Dags?«

»Dags ist —«

Er kam nicht dazu, den Satz zu beenden. Der junge Mann, der ihnen die Tür öffnete, trug ein einfarbig dunkelblaues Hemd, das er nachlässig in seine Jeans gesteckt hatte. Dunkelblonde, halblange Locken fielen ihm in die Stirn und in seinen grünen Augen standen Tränen.

»Ihr kommt zu spät«, sagte er. »Sie ist tot!«

Fehler, Fehler, Fehler …! In Dags' Gehirn flackerten wie irrsinnig unzählige Warnleuchten. Sie kniff die Augen zu, fest davon überzeugt, innerhalb der nächsten Sekunden einen mörderischen Schrei zu hören, der das gesamte Sicherheitspersonal des Hotels alarmieren würde. Ein bitterer Geschmack stieg in ihrem Hals auf, als ihr Magen sich krampfartig zusammenzog.

Schrei schon los, Miss Universum, damit ich es endlich hinter mich bringe und sie meinen Kopf in der Lobby ausstellen können: Dagmar Kreuzer, die blödeste und toteste Amateurdetektivin Berlins!

Nichts geschah.

Dags öffnete vorsichtig die Augen. Romeo hockte noch immer vor dem Sofa, schaukelnd und geduldig wartend, unbemerkt von der Frau, die soeben die Beine angezogen hatte. Ohne den Blick von ihrem Magazin zu nehmen, zog sie mit einer Hand ihre Stöckelschuhe aus und ließ sie achtlos zu Boden plumpsen.

Der erste Schuh landete unter dem Tisch. Der zweite verfehlte Romeo nur um Millimeter und er schoss entsetzt und mit der Geschwindigkeit einer Kanonenkugel über den hellen Teppich, geradewegs zurück unter das Sofa, wo er zitternd in die Sicherheit der Jackentasche kletterte. Dags zog sofort den Reißverschluss zu.

Und als wäre dieses Wunder nicht genug gewesen, stand die Frau endlich auf. Was vor Sekunden noch eine Katastrophe gewesen wäre, ließ Dags jetzt zentnerweise Steine vom Herzen fallen. Die Frau legte das Magazin auf dem Glastisch ab und verschwand durch eine der beiden Türen am anderen Ende der Suite. Unmittelbar darauf rauschte ein Wasserhahn.

Okay, nichts wie raus hier!

Ohne sich weitere Zeit zum Nachdenken zu geben, kletterte Dags über die Sofalehne, hetzte durch die Suite, öffnete, so leise sie konnte, die Tür und spähte in den Korridor. Der Gang war leer und sie schlüpfte hinaus. Hinter ihr fiel, geräuschlos und sanft, die Tür ins Schloss.

Sie atmete tief durch und ging auf wackeligen Beinen zum Fahrstuhl. Sie drückte den Knopf und wartete. Eine

Ewigkeit schien zu vergehen, bis endlich die Anzeige für den fünften Stock aufleuchtete. Die Tür schob sich auf – und Dags konnte nur mit Mühe einen Schrei unterdrücken. Vor ihr stand der Amerikaner aus Suite 5018. Unwillkürlich machte sie einen Schritt zur Seite. Klasse!, schoss es ihr durch den Kopf. Fehlt nur noch, dass die Putzfrau aufkreuzt und dem Kerl zu seiner wohlerzogenen Tochter gratuliert!

Doch nichts dergleichen passierte. Der Mann trat aus dem Lift und stapfte an Dags vorbei, ohne sie eines Blickes zu würdigen. Der Hauch eines herben Rasierwassers wehte hinter ihm her. Dags widerstand der Versuchung, sich umzudrehen und ihm nachzusehen. Stattdessen betrat sie den Fahrstuhl, drückte den Knopf für das Erdgeschoss und überlegte, wie viel Schokolade sie kaufen musste, um ihre Nerven wieder zu beruhigen.

Bis der Lift im Erdgeschoss angekommen war, hatte sie das Zittern ihrer Beine und Hände endlich unter Kontrolle gebracht. Nerven behalten!, betete sie sich vor. Marschier aus diesem Schuppen raus, als hättest du dich glänzend mit Onkel Nick amüsiert! Sie lächelte und nickte dem Portier zu, der routinemäßig einen Blick auf die sich öffnende Tür des Fahrstuhls geworfen hatte. Er winkte zurück. Sekunden später stand sie auf dem Ku'damm, auf den ein sanfter Nieselregen niederging, umgeben von Straßenlärm, der wie Musik in ihren Ohren klang. Vor Erleichterung stiegen ihr Tränen in die

Augen. Nie wieder!, dachte sie. Nie wieder lass ich mich auf so eine hirnverbrannte Scheiße ein!

〜〜

»Wenn ich gewusst hätte, dass mein kleiner Scherz euch so erschreckt, hätte ich die Klappe gehalten. Sorry!«

Der Mann mit dem dunkelblauen Hemd führte Olaf und Guddie durch einen kurzen Flur in ein riesiges Atelier. Er zeigte auf das Cover einer CD, das vor einer Stereoanlage auf dem dunklen Betonboden lag. »Es ist die Mimi, aus Puccinis Oper *La Bohème,* wisst ihr. Sie stirbt an Schwindsucht, natürlich im unpassendsten Moment, als sie sich gerade wieder mit ihrem Rudolfo versöhnt hat. Ich bin Stefan. Möchtet ihr etwas trinken?« Ohne eine Antwort abzuwarten, zischte er hinaus in den Flur und ließ die Kinder allein.

Olaf sah sich, immer noch verblüfft von dem seltsamen Empfang, neugierig um. Große Fenster ließen das Tageslicht in das Atelier fallen, in dem kreuz und quer ein gutes Dutzend Stative und Scheinwerfer herumstanden. Eine Seite des Raums wurde von metallisch schimmernden schwarzen Schubkästen eingenommen. Olaf hielt vergebens nach aufgehängten Fotos Ausschau. Bis auf ein Poster, auf dem Hunderte bunter Musiknoten tanzten, waren die hohen, ungetünchten Wände des Ateliers völlig nackt. Er pfiff leise durch die Zähne.

»Finde ich auch«, flüsterte Guddie.

Eine Minute später ertönte ein leises Klirren und Stefan kam mit einem Tablett zurück, auf dem zwei Gläser standen und eine Karaffe voller Limonade, in der ein paar Eiswürfel schwammen. Er stellte es auf einem Tisch in der Mitte des Ateliers ab, um den einige niedrige Sessel mit farbenfrohen Bezügen gruppiert waren.

»Setzt euch. Und sagt mir, welcher Wind euch in diese bescheidene Hütte geweht hat.«

Guddie trank pflichtbewusst einen Schluck Limonade, legte das Buch über das Pergamonmuseum vor sich auf den Tisch und räusperte sich. »Also, eigentlich wollten wir zu Herrn Wörlitzer. Es geht um eines seiner Fotos.«

Stefan nickte und sah auf seine Armbanduhr. »Ihr hättet anrufen sollen. Bernd ist unterwegs. Er ist —«

»— gerade nach Hause gekommen«, ertönte eine Stimme. Der Mann, der das Atelier betrat, war älter und größer als Stefan. Er trug Jeans und eine Lederjacke, hatte kurz geschorene dunkle Haare und tief liegende, beinahe schwarze Augen. Olaf fand, er sah aus wie ein Killer.

»Besuch?« Bernd Wörlitzer grinste die Kinder an und entblößte dabei die weißesten Zähne, die Olaf je gesehen hatte. »Oder wollt ihr euren Eltern Fotos von euch zur Silberhochzeit schenken?«

Stefan war aufgestanden. »Keine Begrüßung«, sagte er tadelnd. »Wenn das so weitergeht, muss ich dich verlassen.« Er legte die Hände auf die Schultern des Fotografen und küsste ihn auf den Mund. »Tag, mein Hase.«

Olaf fühlte sich, als hätte man ihm den Boden unter den Füßen weggezogen. O Gott, halt mich fest!, dachte er. Das sind Schwule! Er fühlte, wie das Blut in sein Gesicht schoss, und hoffte, dass keiner der beiden Männer ihm seine Verlegenheit ansah.

»Hey, nicht vor den Kindern!« Bernd Wörlitzer gab seinem Freund lachend einen Klaps auf den Hintern, warf seine Jacke achtlos in die Ecke und ließ sich in einen Sessel fallen. »Ich bin total kaputt.«

»Ich bring dir was zu trinken.« Stefan zwinkerte Guddie und Olaf zu und war im nächsten Moment aus dem Atelier verschwunden.

Bernd Wörlitzer kramte eine zerknitterte Zigarette aus seiner Hemdtasche hervor, zündete sie an und lehnte sich erwartungsvoll in seinem Sessel zurück. »Okay, und jetzt sagt mir, was ich für euch tun kann.«

Guddie nickte und schlug das Buch auf. Olaf musterte sie aus den Augenwinkeln. Ihr war nicht anzumerken, was sie davon hielt, dass sie bei zwei Männern gelandet waren, die sich küssten und wer weiß was sonst noch miteinander veranstalteten. Sie wirkte vollkommen unbeteiligt.

»Dieses Bild haben Sie gemacht, oder?«, fragte sie.

Bernd Wörlitzer beugte sich vor und warf einen kurzen Blick auf das doppelseitige Farbfoto. »Die Modenschau im Pergamonmuseum …«

Guddie nickte und zeigte auf den Glatzkopf am rechten Bildrand. »Können Sie uns sagen, wer das ist?«

»Lass mal sehen … kommt mir bekannt vor.« Der Fotograf studierte mit gerunzelter Stirn das Gesicht des Glatzkopfs. Olaf hörte, wie Guddie neben ihm scharf Luft einsog. »Aber mir fällt kein Name dazu ein. Das will allerdings nichts heißen. Wenn ihr euch einen Moment geduldet …«

Er stand auf, ging zu einem der Metallkästen und zog mehrere Schubladen auf, in denen er herumwühlte. Olaf reckte neugierig den Hals.

»Hier.« Bernd Wörlitzer kam an den Tisch zurück und verteilte ein gutes Dutzend Fotos darüber. »Die sind alle von der Modenschau. Mit etwas Glück ist euer Mann hier irgendwo drauf, und wenn ich ihn im Zusammenhang mit anderen Leuten sehe …« Er zog eine Augenbraue hoch, als er ein Foto fand, auf dem der Glatzkopf sich neben einem schmallippigen Mann mit großen, traurigen Augen aufgebaut hatte. »Jetzt fällt's mir wieder ein. Typischer Fall von Verdrängung.«

»Verdrängung?«

»Na ja, ich bin mit dieser kahlköpfigen Bulldogge aneinandergeraten, als ich seinem Herrchen zu nahe kam.« Der Fotograf lachte. »Der Typ ist ein Bodyguard, ein Leibwächter. Und zwar von diesem Kerl hier.« Er tippte auf den Mann mit den traurigen Augen. »Mervyn Griffith, einer der bekanntesten Modeschöpfer der Welt. Nie von ihm gehört?«

»Aber natürlich.« Stefan war aus der Küche zurückgekommen. Er stellte ein Glas vor Bernd Wörlitzer ab und grinste ironisch. »Wer kennt ihn nicht, den guten alten Merv?«

»Er sieht ganz nett aus«, sagte Guddie. Sie studierte das Foto und Olaf bemerkte, dass es ihr nicht anders ging als ihm selbst – ihr Gesicht brannte förmlich. Sie hatten einen ersten wirklichen Hinweis gefunden!

»Lasst euch von dem Gesicht nicht täuschen«, sagte Bernd Wörlitzer düster. »Der Typ ist nicht ganz sauber. Man munkelt, dass er seine Millionen nicht nur mit Mode macht, sondern dass er auch in dunkle Geschäfte verwickelt ist. Er gilt als absolut skrupellos. Diese Gerüchte kursieren seit Jahren, aber bisher konnte niemand ihm etwas nachweisen.«

»Momentan hat er was Besseres zu tun«, warf Stefan ein. Er hatte sich zu seinem Freund auf die Lehne des Sessels gesetzt und ihm einen Arm um die Schulter gelegt. »Ich hab gehört, dass er auf Freiersfüßen wandelt. Er will Oleta Ferris heiraten, eines seiner Models.«

Bernd Wörlitzer nickte abwesend und schob zwei weitere Fotos über den Tisch. Sie zeigten eine bildschöne Frau, die mit einem merkwürdig sehnsüchtigen Ausdruck im Gesicht zwischen zwei Säulen stand. Der Fotograf drückte die Zigarette aus und sah die Kinder forschend an. »Warum stellt ihr mir diese Fragen?«

Guddies Gesicht wurde um einen Ton dunkler. »Was machen Sie, wenn wir es Ihnen nicht sagen?«

Wörlitzer zog die Augenbrauen zusammen. »Dann mache ich mir Sorgen«, gab er leise zurück. »Große Sorgen. Mit Männern wie Griffith und ihren Bulldoggen ist nicht zu spaßen.« Er zündete sich eine neue Zigarette an und lehnte sich zurück. »Ist er in Berlin? Hat einer von euch ihn gesehen?«

Beide schüttelten den Kopf.

»Okay, es ist eure Sache. Aber wenn ihr ihn seht, geht ihm aus dem Weg. Dieser Mann ist gefährlich.«

»Was selbst den von ewigen Geldnöten geplagten Berliner Senat einmal davon abgehalten hat, mit ihm Geschäfte zu machen«, fügte Stefan hinzu. »Stimmt doch, oder?«

Der Fotograf nickte. »Ihr wisst das wahrscheinlich nicht, aber in den zwanziger und dreißiger Jahren war Berlin der kulturelle Nabel der Welt«, erklärte er. »Unter anderem gingen von hier alle wichtigen modischen Strömungen aus, so wie sie heute von Paris oder Mailand ausgehen … Na ja, das ist eine längere Geschichte. Jedenfalls gab es vor ein paar Jahren Bestrebungen, aus Berlin wieder so etwas wie eine Modestadt zu machen. Aber die Staatskasse ist leer, die Modemacher müssten sich also selber ins Zeug legen und das ist, finanziell gesehen, riskant. Sagt euch der Name Karl Lagerfeld etwas?«

Olaf und Guddie nickten gleichzeitig. »Klar«, sagte Olaf. »Das ist der Typ, der Claudia Schiffer berühmt gemacht hat.«

Bernd Wörlitzer lachte. »Er wäre wahrscheinlich entsetzt, wenn sein Name der Nachwelt nur deswegen erhalten bliebe, weil er ein gutes Model entdeckt hat. Lagerfeld ist ebenfalls Modeschöpfer. Er gehörte zu einer Expertenkommission, zusammen mit Benetton und einigen anderen Leuten, deren Aufgabe es war, Berlins Chancen als neues Modezentrum einzuschätzen. Und er hat es auf den Punkt gebracht: Berlin ist noch nicht kreativ genug, um in dieser Hinsicht anderen Städten den Rang ablaufen zu können.«

»Und?«, fragte Olaf. Er konnte mit dem Gerede um Modeschöpfer, Experten und kulturelle Bauchnabel nichts anfangen.

»Nun … Nicht alle Leute waren dieser Meinung.«

»Griffith?«, sagte Guddie.

»Genau. Er zeigte großes Interesse an der Idee, sich in Berlin niederzulassen und von hier aus den europäischen Markt aufzurollen. Er war bereit erhebliche finanzielle Mittel zu investieren, doch der Senat lehnte ab, ich nehme an, wegen der Gerüchte um Griffiths dunkle Geschäfte.« Wörlitzer nippte an seiner Limonade. »Damals gab mir das fast den Glauben an die Politik zurück. Aber dann wurde ein neuer Senat gewählt, der weniger Skrupel zeigte. Er signalisierte Griffith das Einverständnis zur Zusammenarbeit, aber jetzt wollte *der* nichts mehr von der Sache wissen … aus welchen Gründen auch immer.« Er grinste. »Ende der Lektion. Sagt ihr mir jetzt, worum es geht?«

»Wir wissen es selber nicht genau«, gab Guddie bereitwillig zu. »Wirklich nicht.«

»Ich muss euch warnen«, schaltete Stefan sich ein. »Bernd wird euch so lange nerven, bis ihr alles gesteht. Das ist eine seiner Spezialitäten.«

»Verräter!«, grinste Bernd Wörlitzer.

»Dieses Foto von dem Glatzkopf ... Könnten wir einen Abzug davon bekommen?«, fragte Guddie.

»Da muss ich euch leider enttäuschen.« Wörlitzer kratzte sich beinahe verlegen am Kopf. »Ich vernichte die Negative meiner Filme.«

»Warum?«, fragte Guddie.

»Es gehört zu seiner Philosophie«, sagte Stefan. Dass er ihm dabei zuzwinkerte und eine Grimasse zog, machte ihn Olaf fast sympathisch.

»Vielleicht ist das schwer für dich zu verstehen«, wandte der Fotograf sich an Guddie. »Aber jedes Kunstwerk – auch ein Foto – hat etwas Einmaliges an sich. Und es verliert einen Teil seiner Einmaligkeit, wenn man es reproduziert.«

»Heißt das, wenn man eine Kopie davon macht?«

»Genau. Nehmen wir als Beispiel Leonardo da Vincis *Mona Lisa*. Jahr für Jahr fliegen Tausende von Menschen aus der ganzen Welt nach Paris in den Louvre, um sich dort dieses Bild anzusehen – obwohl es unzählige Kopien davon gibt, von denen einige so gut und sorgfältig gearbeitet sind, dass sie einem Vergleich mit dem Original durchaus standhalten können! Warum also strömen die Menschen, auf deren Klo zu Hause vielleicht ein Poster der Mona Lisa hängt, trotzdem in den Louvre?«

»Weil das Original etwas Besonderes ist«, sagte Guddie.

»Etwas Einmaliges«, bestätigte Wörlitzer. »Dieses Besondere, Einmalige eines Kunstwerks hat ein sehr kluger Mann einmal dessen ›Aura‹ genannt. Er meinte damit seine Ausstrahlung. Die Aura eines Gemäldes, einer Skulptur, eines Bauwerks oder eben auch einer Fotografie ist ein nicht geringer Teil dessen, was dieses Kunstwerk aus Zeit und Raum löst und die Jahrhunderte überdauern lässt. Sobald man jedoch beginnt Kopien davon in Umlauf zu bringen, beraubt man das Kunstwerk eines Teils seiner Aura.«

»Und deswegen gibt es von Ihren Fotos keine Abzüge?«

»Genau. Ich will, dass meine Bilder ihre Einzigartigkeit behalten. Diese kleine Extravaganz kostet mich eine Menge Geld. Aber das ist mir die Kunst wert.«

»Und mir die billige Margarine auf dem trockenen Brot«, sagte Stefan augenrollend.

Bernd Wörlitzer lachte, sah auf seine Armbanduhr und stand auf. »Wenn das alles war, Kids … Seid mir nicht böse, aber ich hab noch einen Haufen Arbeit zu erledigen.«

Olaf war keineswegs böse. *Die Aura eines Kunstwerks.* Was für ein Blödsinn! Je eher sie von hier verschwanden, desto besser.

Wörlitzer drückte ihm eine Visitenkarte in die Hand, als er ihn und Guddie zur Tür gebracht hatte. »Wenn ihr wollt, könnt ihr mich jederzeit anrufen. Sollten Stefan oder ich nicht zu Hause sein, sprecht auf den Anrufbeantworter.«

»Das wird nicht nötig sein«, wich Olaf aus.

»Vielleicht nicht.« Bernd Wörlitzer musterte Guddie und Olaf aus nachdenklichen schwarzen Augen. »Ich hab keine Ahnung, auf was ihr Kids euch da eingelassen habt. Aber wenn es etwas Ernstes ist, falls ihr in Schwierigkeiten geratet, dann meldet euch bei mir!«

Olaf presste die Lippen zusammen. Verdammt, er würde lieber sterben, als sich von einem Schwulen helfen zu lassen!

»Machen wir«, sagte Guddie. »Danke für Ihre Hilfe.«

»War mir ein Vergnügen.«

»Mir ebenfalls«, rief Stefan aus dem Atelier in den Flur. Dann ertönten leise Orchesterklänge und die Stimme einer Opernsängerin schwebte durch die Wohnung.

Olaf wartete vergeblich darauf, dass Guddie etwas sagte, als er neben ihr die Treppenstufen hinablief. Schließlich konnte er nicht mehr an sich halten. »Ein ganz schöner Hammer, oder?«, platzte er heraus.

Guddie nickte. »Dags wird Augen machen, wenn sie das erfährt! Ein Modemacher, der in dunkle Geschäfte verwickelt ist, und sein Leibwächter entführt den Mann im grauen Anzug. Es ist wie im Krimi, findest du nicht?«

»Ich meine nicht Mister Triefauge und seinen Glatz-kopf!« Olaf konnte kaum fassen, dass die Turtelei zwischen dem Fotografen und seinem Freund Guddie so kalt-gelassen hatte. »Ich rede von den beiden Schwulen!«

Guddie zuckte die Achseln. »Männer, die sich küssen, sind mir lieber als Männer, die andere entführen, betäuben und womöglich umbringen.«

»Es ist nicht normal«, beharrte Olaf.

Sie waren im Erdgeschoss angekommen, und als sie aus dem Hauseingang auf den nassen Asphalt traten, lag ein verärgerter Zug um Guddies Mund. »Liebe ist immer normal«, war ihre kurze Antwort. »Das lernt man sogar in der Kleinstadt.«

Kapitel 7

Der Kriegsrat tagt

Es hatte wieder zu regnen begonnen, lang anhaltend und heftig. Die vor dem Haus stehenden Bäume bogen sich unter einem kräftigen Wind, der die Tropfen von ihren grünen Blättern schüttelte und auf die Straße fegte.

Guddie trat vom Fenster zurück und ließ ihren Blick durch Dagmars Zimmer schweifen. Sie überlegte, ob die Detonation einer Bombe ein ähnliches Chaos anrichten konnte wie Dags mit ihren Experimenten. Es sah aus, als hätte sie den Inhalt aller Schubladen, Regale und Schränke aus der gesamten Wohnung über den Fußboden verteilt.

»Bin noch nicht zum Aufräumen gekommen«, sagte Dags entschuldigend. Sie hockte auf dem Bett, streichelte Romeo mit der einen Hand und schob sich mit der anderen einen Schokoladenriegel in den Mund – mindestens den zehnten, seit Guddie und Olaf bei ihr angekommen waren. »Nie wieder will ich so was erleben! Es war der Horror!«

»Du hättest Romeo nicht mitnehmen dürfen.«

Die Ohren der schwarz-weißen Ratte stellten sich auf,

als Guddie ihren Namen aussprach. Dags zuckte die Achseln und wickelte den nächsten Schokoriegel aus. Sie brach ein winziges Stück davon ab und hielt es Romeo unter die Schnauze. »Ist nicht gut für seine Leber, aber nach dem Schrecken im Hotel hat er es verdient.«

»Dieser Griffith ist also in Berlin«, murmelte Olaf. Er hatte es sich inmitten des Durcheinanders in einem Schaukelstuhl aus Korb bequem gemacht, der bei jeder seiner Bewegungen leise knarrte.

Dags nickte. »Eure Beschreibung trifft genau auf ihn zu. Er und diese Frau, wahrscheinlich das Model, das er heiraten will, Oleta Ferris. Ich sage euch, der würde alles für sie tun! Er betet sie an!«

»Er ist bestimmt inoffiziell hier«, sagte Guddie. »Sonst wüsste Bernd Wörlitzer etwas davon. Er kennt sicher Reporter und solche Leute, die ihm Bescheid gesagt hätten.«

»Was er wohl vorhat?«, überlegte Olaf laut. »Ob es was mit diesem Modekrams zu tun hat und damit, dass er scharf darauf war, sich hier in der Stadt breitzumachen?«

»Er will ein Ding durchziehen, so viel steht fest.« Dags beobachtete Romeo, der bei dem Versuch, auf dem unsicheren Untergrund der weichen Bettdecke seinen Fresstanz aufzuführen, auf die Seite gefallen war. Der Schokoladenkrümel fiel zu Boden und er sprang mit einem gewaltigen Satz hinterher. »Er und der Typ, der ihn angerufen hat. Der Mann im hellgrauen Anzug kommt ihnen in die Quere, also lässt er ihn von seinen Bodyguards entführen.«

»Und die werden ihn umbringen.« Erschreckt stellte Guddie fest, mit welcher Leichtigkeit ihr die Worte über die Lippen kamen. »Sollten wir nicht doch die Polizei –«

»Wir haben nichts«, fiel Dags ihr ins Wort. »Keine Beweise, keine Anhaltspunkte, nichts! Und was es mit der Zickzacklinie auf sich hat, wissen wir auch nicht.«

»Leider.« Der Schaukelstuhl gab ein protestierendes Knarren von sich, als Olaf sich nach vorn beugte. »Aber sie werden ihn erst umbringen, wenn alles vorbei ist. Hast du doch gesagt, Dags, oder? Und was auch immer das ist, es hat noch nicht angefangen.« Er schnippte mit den Fingern. »Also hat er nur dann eine Chance, wenn wir weitermachen.«

»Aber *wie* machen wir weiter?«, rief Guddie. »Wir wissen, dass Griffith morgen Vormittag mit diesem Unbekannten verabredet ist, aber wir haben kein Auto, um ihn zu verfolgen.«

»Das wollen wir doch mal sehen!«, flüsterte Dags. Sie sprang vom Bett und lief hinaus in den Flur. »Muss mal kurz telefonieren«, rief sie über die Schulter.

»Prima.« Olaf erhob sich aus dem Schaukelstuhl und folgte ihr. »Dann geh ich in der Zeit aufs Klo.«

Plötzlich fand Guddie sich allein in dem Zimmer wieder. Sie beobachtete Romeo, der mit artistischer Geschicklichkeit die Gardinen erklomm, über die Fensterbank trippelte und in seinen Käfig kletterte. Dann fiel ihr Blick auf die überall verstreuten Schokoladenpapierchen.

»Wenn ich irgendwann merke, dass ich fett werde«, hatte Dags gesagt, »höre ich damit auf.«

»Mit der Schoko-Fresserei?«, hatte Olaf gefragt.

»Quatsch! Mit allen anderen Lebensmitteln.«

Guddie lächelte. Es gefiel ihr besser, als sie gedacht hätte, ihre Cousine näher kennenzulernen. Und Olaf …

»Ha!«, platzte Dags in ihre Gedanken. »Wir haben's!«

»Wir haben was?«, fragte Olaf, der hinter ihr ins Zimmer kam.

»Ein Auto!« Dags kletterte auf ihr Bett und sprang triumphierend auf der Matratze herum. »Und eine Fahrerin! Sie heißt Inge. Morgen um kurz vor elf stehen wir vor dem Kempinski und warten darauf, dass Mr Griffith losfährt.«

»Wer ist Inge?«, fragte Guddie überrascht.

»Inge Warlatzke.« Dags hüpfte immer noch auf und ab. »Sie ist Mitte siebzig, aber fit wie ein Turnschuh. Eine Kulturoma, sie verpasst kein Theaterstück, kein Ballett und keine Oper. Sie ist süchtig nach diesem Zeug. Und was Berlin und seine Geschichte angeht, ein wandelndes Lexikon.«

»Woher kennst du sie?«, wollte Olaf wissen.

»Meine Eltern haben sie im Urlaub kennengelernt, vor fast zwanzig Jahren. Papa ist beim Skifahren mit ihr zusammengerauscht.« Dags ließ sich in das Bettzeug fallen und packte den nächsten Schokoriegel aus. »Inge hat nicht lange gefackelt und ihm eine geballert. Sie hielt es für einen besonders plumpen Annäherungsversuch.«

»Und wo wohnt sie?«

»Im Grunewald. Zehlendorf.«

»Hat sie keine Fragen gestellt?« Guddie sah Dags skeptisch an. »Was hast du ihr erzählt?«

»Den unverfänglichen Teil der Wahrheit: dass der weltbekannte Modemacher Mervyn Griffith sich in Berlin aufhält, um Modegeschäfte zu machen, von denen noch niemand etwas wissen soll. Wir sind durch Zufall dahintergekommen und vertreiben uns die Zeit damit, ihn zu verfolgen.«

»Und warum sollten wir das tun?«, fragte Olaf.

»Weil ein Freund von dir, der Fotograf Bernd Wörlitzer, uns darauf angesetzt hat. Wenn wir Recht haben, verkauft er die Geschichte an die Presse und wir bessern damit unser Taschengeld auf.«

»Bernd Wörlitzer ist nicht mein Freund!«, schnappte Olaf. Sein Blick hatte sich verfinstert.

»Hättest du einen besseren Vorschlag gehabt?«

Olaf schwieg.

Was Dags sich ausgedacht hatte, klang plausibel und Guddie vermutete, dass sie an ihrer Stelle ebenfalls geschummelt hätte. Sie waren auf ein Auto angewiesen. Trotzdem war ihr nicht wohl bei dem Gedanken an diese Notlüge. »Es ist nicht fair«, wandte sie schwach ein. Draußen klingelte das Telefon und sie hörte, wie ihre Tante durch den Flur lief.

»Wer behauptet, das Leben sei fair?« Dags schwang sich aus dem Bett und balancierte durch das Chaos auf dem Fußboden zu ihrem mit Papieren überfüllten Schreibtisch. »Inge holt uns morgen Vormittag hier ab. Und sie bringt massenweise Bücher über die Museumsinsel mit. Hab ihr gesagt, dass ich mich weiterbilden will. Je mehr Bücher wir haben, desto größer ist die Chance, in einem davon auf das Zickzackmuster zu stoßen.« Sie riss ein leeres Blatt aus einem Notizblock. »Ich schreibe euch meine Telefonnummer auf. Falls etwas dazwischenkommt, ruft mich an.« Sie sah sich suchend um. »Wo ist der verdammte Füller?«

»Nimm 'nen Kuli«, schlug Olaf aus dem Schaukelstuhl vor.

»Ich schreibe nur mit Füller. Ein Kugelschreiber ist wie Wasser statt Wein. Nur ein Füller hat Stil.«

Olaf verdrehte die Augen.

Guddie drehte sich um, als aus einer Ecke des Zimmers ein lautes, drängendes Fiepen erklang. Romeo war aus seinem Käfig geklettert und zu Boden gehopst. Neben dem Kleiderschrank lag ein einzelner Gummistiefel, auf dem er mit aufgeregt peitschendem Schwanz hin und her trippelte. Aus dem Stiefel ragte die Kappe eines Füllers heraus.

»Hey, ist das zu fassen? Den hab ich gestern versteckt,

damit er ihn sucht!«, rief Dags begeistert. Sie hob Romeo hoch und küsste ihn auf die Schnauze. »Aus uns wird doch noch was, du altes Labormonster!«

Sie sah auf, als sich die Tür öffnete und ihre Mutter das Zimmer betrat. Frau Kreuzer nickte ihrer Tochter und Olaf nur kurz zu, dann blieb ihr Blick auf Guddie hängen.

»Gudrun …«

Es war ihr besorgter Gesichtsausdruck, der Guddie sagte, dass etwas passiert war. Plötzlich fühlte sie sich, als hätte man sie unter Wasser gedrückt. Ihre Hände wurden taub und ein Bild wie aus einem Schwarz-Weiß-Film schob sich vor ihre Augen: ihre Mutter am Küchentisch, die Wärmflasche auf dem Schoß.

Frau Kreuzers Stimme drang wie durch Watte an ihre Ohren. »Deine Mutter, Gudrun … Es geht ihr nicht gut. Sie ist heute Mittag ins Krankenhaus gebracht worden.«

⋀⋁

Der Flur war lang und schmal und besaß keine Fenster. Neonlampen tauchten das grau marmorierte Linoleum des Bodens und die blassgrünen, schmucklosen Wände in fahles Licht. Der Geruch von Krankheit und Desinfektionsmitteln erfüllte die Luft.

Olaf saß auf einem unbequemen Plastikstuhl und wartete auf Guddie. Sie war seit einer halben Stunde bei ihrer Mutter. Eine freundliche Ärztin hatte sie empfangen und erklärt, Frau Berger sei direkt von der Arbeit ins Krankenhaus eingeliefert worden. Ihr Blinddarm habe sich entzündet, so etwas könne sehr schnell gehen, Frau Berger müsse morgen früh operiert werden …

Er hatte Guddie bewundert. Sie war angespannt und totenbleich gewesen, hatte aber tapfer die Tränen zurückgehalten. Sie hatte ihm nicht sagen müssen, dass sie ihre Mutter über alles liebte. Er hatte es ihr angesehen.

Frau Kreuzer hatte Guddie vorgeschlagen über Nacht bei ihnen zu bleiben, aber Guddie hatte abgelehnt. Sie wollte zu ihrer Mutter. Weil ihr eigener Wagen in der Werkstatt stand, hatte Frau Kreuzer ein Taxi für sie gerufen und im Voraus bezahlt. Olaf war kurz entschlossen mitgefahren.

»Das kann länger dauern«, hatte Guddie unterwegs gesagt. »Vermisst dich denn niemand, wenn du zu spät nach Hause kommst?«

»Nein.«

Es stimmt, überlegte er jetzt, niemand wird mich vermissen. Nicht wirklich.

Denk an was anderes …

Und er dachte an die gespenstisch stillen Säle des Pergamonmuseums mit ihren kalten Statuen, an den grauen Himmel, der sich über den Eingang zur U-Bahn-Station gespannt hatte. Das einladend große und helle Fotoatelier. Dags auf ihrem Bett, umgeben von einem Meer aus Schokoladenpapierchen. Der Regen, der endlose, glitzernde

Regen. Und dazwischen, immer wieder, Guddies Gesicht. Lachend, aufgeregt, nachdenklich. Oder, wie vor dem Haus des Fotografen, verärgert und sauer.

Hey, mach dir nichts vor! Die Stimme meldete sich so unerwartet, dass er zusammenzuckte. *Wenn einer sauer war, dann warst du es, weil sie die beiden Schwulen in Schutz genommen hat. Dabei konnte doch jeder sehen, dass die Typen nur scharf darauf waren, dir an die Wäsche zu gehen!*

Er schüttelte unwillig den Kopf, und seine Hand tastete nach Bernd Wörlitzers Visitenkarte, die sich immer noch in seiner Hosentasche befand.

Das stimmt nicht, er war nett. Und sein Stefan war auch nett, verdammt nett sogar! Guddie hat Recht, Liebe ist immer normal. Du hast nur deshalb einen Hass auf die beiden, weil sie anders sind, weil sie dich daran erinnern, dass du auf deine eigene Art auch anders bist. Du kommst mit dir selber nicht klar und dafür machst du andere verantwortlich. Warum sprichst du nicht mit Guddie?

»Weil sie gerade andere Sorgen hat«, murmelte er. Er war müde. Er hatte es satt, mit der Stimme in seinem Kopf zu streiten.

Denk an was anderes …

Olaf überlegte. Wenn Frau Berger am nächsten Morgen operiert wurde, könnte Guddie mitkommen, wenn sie diesen Griffith verfolgten. Die Frage war nur, ob ihr der Sinn danach stand. Die Frage war, ob *ihm* der Sinn danach stand, falls sie nicht dabei war.

Er erhielt die Antwort zehn Minuten später, als Guddie aus dem Zimmer ihrer Mutter kam. »Ich kann sie erst wieder morgen Nachmittag sehen.« Sie war immer noch blass, aber sie lächelte schwach. »Ich denke, das heißt, dass ich morgen früh mit euch komme.«

»Es könnte gefährlich werden. Der Glatzkopf wird sicher mit von der Partie sein. Ich schätze, er lässt Griffith nicht aus den Augen.«

»Ist mir egal. Wenn ich allein zu Hause rumsitze, drehe ich durch.«

»Ich bring dich heim«, sagte Olaf.

Guddie schwieg, bis sie nebeneinander in der Straßenbahn saßen und die Landsberger Allee hinauffuhren. Nur wenige Autos waren unterwegs. Ein Sportwagen, das Verdeck trotz des Regens heruntergelassen, überholte sie. Johlende und lachende Teenager winkten ihnen zu und die aufgedrehten Bässe ihrer Lautsprecheranlage brachten die Scheiben der Straßenbahn für einen Moment zum Vibrieren. Auf dem nass glänzenden Gehsteig stritt ein Pärchen, die Frau hielt mit beiden Händen einen bunten Regenschirm fest und stampfte zornig mit einem Fuß auf.

Guddie starrte aus dem Fenster. »Manchmal fühle ich mich winzig klein«, flüsterte sie. »Hier in Berlin, meine ich. Wenn ich zu Hause in meinem Zimmer sitze, stelle ich mir vor, wie die Wohnungswände um mich herum sind, und um die Wohnung sind die anderen Häuser und es hört nirgends auf, überall sind diese Häuser, kilometerweit, es gibt keinen Horizont …«

Statt einer Antwort legte Olaf einen Arm um ihre Schulter. Sein Herz schlug schneller, als Guddie näher an ihn heranrückte. Ihr Haar roch nach Apfelshampoo.

»Die Ärztin hat gesagt, so eine akute Blinddarmgeschichte wäre zwar eine ernste Sache, aber sie hätten alles unter Kontrolle.« Sie lachte ein kleines, hilfloses Lachen. »Ich meine, ich weiß, dass meine Mutter nicht sterben muss, verstehst du …? Aber es fühlt sich trotzdem so an.«

Kapitel 8
Oht Kutür

Der zerbeulte gelbe Volvo hatte die Siegessäule hinter sich gelassen und raste in halsbrecherischem Tempo auf das Brandenburger Tor zu, dessen Umrisse sich undeutlich hinter einem grauen Regenschleier abzeichneten. Inge Warlatzke fuhr wie der Henker.

»Warum machst du die Scheibenwischer nicht an?«, fragte Dags. Sie griff nervös in die Innentasche ihrer Jacke, mehr um sich selbst als um Romeo zu beruhigen. Dann fiel ihr ein, dass sie ihn, wenn auch nur widerwillig, zu Hause gelassen hatte. Inge konnte Romeo nicht ausstehen.

»Sie sind an. Manchmal wollen sie nicht.« Inge hielt die blauen Augen starr auf die dreispurige, von windgeschüttelten Bäumen gesäumte Straße gerichtet und strich eine graue Haarsträhne aus ihrem zerfurchten Gesicht. »Ich krieg Mildred garantiert nicht durch den nächsten TÜV.«

Der altersschwache Volvo ächzte aus allen Löchern, aber es war Dags herzlich egal, ob er den nächsten TÜV überlebte oder nicht. Die viel dringendere Frage war, ob sie selbst diese Höllenfahrt überleben würde. Sie drückte sich etwas tiefer in ihren Sitz.

So eine Scheiße!

Sie hatten Griffith verloren. Im dichten Kreisverkehr des Ernst-Reuter-Platzes war sein Wagen unvermittelt auf die Straße des 17. Juni abgebogen. Inge hatte den Anschluss verpasst und noch einmal um den Kreisel herumfahren müssen. Bis dahin war der Mercedes längst außer Sichtweite gewesen.

Dabei hat alles so gut angefangen.

Griffith und der Glatzkopf, beide in unauffälligen hellen Anzügen, hatten pünktlich um elf Uhr das Kempinski verlassen. Ein schwarzer Mercedes hatte sie erwartet, zweifellos mit demselben Mann am Steuer, der schon den Mietwagen vor dem Pergamonmuseum gefahren hatte – Griffiths zweite Bulldogge. Oleta Ferris hatte es offensichtlich vorgezogen, die Männer nicht zu begleiten.

Wahrscheinlich hat sie Angst, dass ihre Locken den sauren Regen nicht vertragen, dachte Dags sarkastisch. Sie zeigte nach vorn. »Die Ampel da ist rot.«

»Meine Lieblingsfarbe.«

»Vielleicht sind sie hier abgebogen.«

»Sind sie nicht.«

»Woher willst du das wissen?«

»Intuition.« Inge überfuhr das Rotlicht mit neunzig Stundenkilometern und entging nur um Haaresbreite der Kollision mit einem von rechts kommenden, wütend hupenden Opel. Mildred krachte durch ein Loch in der Straßendecke. Plötzlich surrten die Scheibenwischer los. »Na bitte!«

Dags drehte sich zu Olaf und Guddie um und versuchte ein ermutigendes Grinsen. Die beiden hockten auf der Rückbank, eingepfercht zwischen dem unglaublichsten Plunder – Gummistiefel, zerfledderte Atlanten, einige leere Flaschen und die sperrigen Reste einer altmodischen Trockenhaube, die Inge aus Gott weiß welchen Gründen spazieren fuhr. Olaf grinste zurück, allem Anschein nach angetan von Inges Fahrstil. Guddie sah ungerührt geradeaus. Sie wirkte übernächtigt und müde und sie tat Dags leid. Auf ihrem Schoß lag die Tüte voller Bücher über das Pergamonmuseum und die Museumsinsel, die Inge ihnen aus ihrer umfangreichen Bibliothek zusammengesucht hatte.

»Da sind sie!«, rief Olaf plötzlich. Er zeigte nach vorn auf die Rücklichter des Mercedes, der soeben vor dem Brandenburger Tor nach rechts abbog.

»Festhalten«, murmelte Inge. Sie scherte aus und überholte einen Golf, der die mittlere Fahrspur blockierte. Eine meterhohe Wasserfontäne spritzte auf, als Mildred durch eine weitere Bodensenke rumpelte. Dann schlitterte der Volvo um die Kurve wie der talwärts rasende Wagen einer Achterbahn.

Zehn Minuten später, als sie in Berlin Mitte auf den Gendarmenmarkt zufuhren, hörte der Regen schlagartig auf. Der schönste Platz Berlins, dachte Dags. Sie betrach-

tete den berühmten klassizistischen Bau des Schauspielhauses, von dessen Dach herunter die Statuen antiker
Götter, dunkel von Autoabgasen und Kohlestaub, Wache
über den fast menschenleeren Platz hielten. Links und
rechts des Schauspielhauses standen sich die Zwillings-
bauten des Deutschen und Französischen Doms gegenüber. Ein einzelner Sonnenstrahl zwischen den tief hängenden, schwarz geränderten Wolken ließ die goldenen
Rosetten aufblitzen, die in die Kuppeln der hohen Türme
eingelassen waren.

Guddie war vorsorglich auf Tauchstation gegangen. Sie
befanden sich jetzt dicht hinter dem Mercedes und sie
wollte nicht riskieren, dass der Glatzkopf sie bei einem
zufälligen Blick in den Rückspiegel wiedererkannte. Der
schwarze Wagen bog nach rechts in die Taubenstraße ab,
fuhr an einigen heruntergekommenen Häusern und von
Unkraut überwucherten Grundstücken vorbei und hielt
am Bordstein an.

»Fahr weiter«, rief Dags aufgeregt. »Sonst merken sie
womöglich, dass wir sie verfolgt haben.«

»Denkst du, ich seh mir keine Krimis an?«, schnaubte
Inge. »Ich bin doch nicht von gestern.«

»Und mach die Scheibenwischer aus. Sie quietschen.«

»Habe ich schon probiert. Es geht nicht.«

Olaf lachte leise.

Zwanzig Meter weiter mündete die Taubenstraße in
einen kreisrunden kleinen Platz, in dessen Mitte eine

Gruppe halbhoher Bäume stand. Ihre weit ausladenden Äste überdachten den Eingang zu einer heruntergekommenen U-Bahn-Station. Inge fuhr über den Platz, bog in die nächste Seitenstraße ein und stellte den Motor ab. Das Quietschen der Scheibenwischer verstummte.

»Also los!« Dags drehte sich zu Guddie um. »Du solltest besser hierbleiben. Falls der Glatzkopf dich wiedererkennt, ist der Teufel los!«

Guddie nickte, wortlos und geistesabwesend.

Der Fahrer des Mercedes saß Zeitung lesend hinter dem Steuer seines Wagens, doch der Glatzkopf stand auf dem Gehsteig und blickte misstrauisch auf, als Dags, Olaf und Inge um die Ecke bogen. Griffith befand sich auf der gegenüberliegenden Straßenseite, wo er ein dreistöckiges Haus mit breiten Fenstern begutachtete, das einem Industriegebäude glich. Der Eingang war ein mächtiges eisernes Portal, über dem der steinerne Kopf eines Stieres und verschiedene Verzierungen angebracht waren, die Dags auf die Entfernung nicht erkennen konnte.

»Wer immer es ist, mit dem er hier verabredet ist, er hat sich wohl etwas verspätet«, sagte Olaf.

»Interessant, dass dieses Treffen hier stattfindet«, bemerkte Inge.

»Warum?«, fragte Dags. Sie ließ den Glatzkopf nicht

aus den Augen, aber er hatte das Interesse an ihnen verloren. Vermutlich hielt er sie für Touristen.

»Weil das der Hausvogteiplatz ist.« Inge machte eine weit ausholende Geste, die den kleinen Platz und die angrenzenden Straßen einschloss. »Das frühere Zentrum der weltberühmten Berliner *Haute Couture,* der Modeindustrie. Oder vielmehr die Häuser, in denen Mode verkauft wurde. Das, vor dem euer Amerikaner steht, ist eines der wenigen, die den Krieg überstanden haben. Hier wurde Mitte des 19. Jahrhunderts die Idee von der Konfektionsware geboren – Klamotten von der Stange, für jedermann erschwinglich. Das machte den Erfolg der Modemacher aus. Bis in die dreißiger Jahre gab es hier unzählige jüdische Firmen, die ihre Ware in die ganze Welt exportierten. Dann war alles vorbei.«

»Die Nazis?«, fragte Olaf.

Inge nickte. »Anfangs vertrieben oder enteigneten sie die Besitzer. Später ließen sie sie deportieren und umbringen. Den Rest erledigte der von ihnen angezettelte Krieg. Berlin zerfiel in Schutt und Asche.« Sie schüttelte traurig den Kopf. »So viel Leid, so viel Zerstörung …«

»Das wär's doch, oder?«, sagte Dags leise. »Wenn Griffith sich in Berlin niederlassen will, wäre es ein geschickter Schachzug, sich dazu einen Ort auszusuchen, der historisch gesehen etwas mit Mode zu tun hat.«

Inge nickte lebhaft und setzte zu einer Antwort an, aber Dags legte ihr eine Hand auf den Arm. Hinter dem

Mercedes hatte ein Taxi angehalten, aus dem ein Mann mit dunkelblauem Anzug und bunter Krawatte ausstieg. Er hatte silbergraues, exakt gescheiteltes Haar und ein energisches Gesicht. Dags schätzte ihn auf höchstens fünfzig Jahre. In der rechten Hand hielt er einen Aktenkoffer aus Aluminium. Als das Taxi davongefahren war, ging er auf Griffith zu und schüttelte ihm die Hand.

»Jetzt brat mir doch einer einen Storch«, murmelte Inge verblüfft. »Wenn das nicht Helmut Röhricher ist.«

»Wer?«

»Der Berliner Kultursenator«, erklärte Inge. »Erst seit knapp drei Jahren, aber in dieser Zeit hat er es geschafft, ein viel gehasster Mann zu werden. Er streicht an allen Ecken und Enden kulturelle Fördermittel zusammen und konzentriert sich auf Projekte, die Prestige einbringen. Der Kerl ist ein Widerling, ein arroganter Fatzke.« Sie schüttelte voller Verachtung den Kopf. »Nicht gut, wenn euer Modefritze mit dem zusammenarbeitet. Röhricher ist ein gerissener und skrupelloser Geschäftsmann.«

Dann haben sich ja die beiden Richtigen gefunden, dachte Dags, behielt den Gedanken aber für sich. Sie hatte nur eine vage Vorstellung von den Aufgaben eines Kultursenators. Aber wenn zwischen Röhrichers Amt und der Tatsache, dass der Fall des entführten Mannes etwas mit dem Pergamonmuseum zu tun hatte, keine Verbindung bestand, wollte sie nicht Dagmar Kreuzer heißen.

Streich das, dachte sie. Du hast deinen blöden Namen

noch nie leiden können! Sie sah Olaf an und grinste. Was eben noch lose Fäden gewesen waren, begann nun sich zu verknüpfen. Der Berliner Senat hatte Griffith vor drei Jahren abblitzen lassen. Doch inzwischen war Helmut Röhricher Kultursenator und anscheinend hatte er weniger Bedenken, sich mit dem Modezar einzulassen. Nur … hatte dieser Fotograf Guddie und Olaf nicht erzählt, Griffith hätte mittlerweile kein Interesse mehr an einer Zusammenarbeit mit dem Senat? Irgendetwas passte da nicht zusammen …

»Es wundert mich, dass Röhricher hier ist«, sagte Inge nachdenklich. »Heute Nachmittag findet im Treptower Park der Stapellauf eines neuen Schiffs der Weißen Flotte statt. Er wird dort eine Rede halten. Man sollte annehmen, er würde sich darauf vorbereiten.«

»Die Weiße Flotte?«, fragte Olaf. »Das sind doch die …«

»Ausflugsdampfer«, nickte Inge. »Eines von Röhrichers umstrittenen Projekten. Er baut die Weiße Flotte aus, um damit mehr Touristen anzulocken. Allein dafür bleiben die Zuschüsse für mehrere kleine Theater auf der Strecke. Nun ja …« Sie lächelte Olaf und Dags an. »Ich muss schon sagen, ihr habt eine seltsame Art, euch das Taschengeld aufzubessern. Da ich im Moment ja wohl nicht gebraucht werde, gehe ich mir ein wenig die Beine vertreten, während ihr weiter Detektiv spielt. In dieser Ecke der Stadt war ich lange nicht mehr.«

Dags sah der kleinen Gestalt in dem viel zu großen

Regenmantel nach, die mit rüstigem Schritt in die Richtung zurückging, aus der sie gekommen waren. Es war ihr bei weitem nicht so leichtgefallen, Inge zu belügen, wie sie es Olaf und Guddie gegenüber dargestellt hatte. Sie hatte ein entsetzlich schlechtes Gewissen.

»Was machen wir jetzt?«, überlegte Olaf laut. Griffith und Röhricher standen vor dem eisernen Portal, wo sie miteinander diskutierten. »Wie kriegen wir raus, was die beiden zu bequatschen haben?«

»Mit dem ältesten Trick der Welt«, sagte Dags. Der Plan war in Sekundenschnelle in ihrem Kopf entstanden. »Wir sind jetzt ein verliebtes Pärchen.«

»Wir sind jetzt *was?*«

Dags gab keine Antwort, sie war schon losmarschiert. Olaf kam ihr nachgelaufen. »Na gut«, zischte er. Er legte einen Arm um ihre Schulter und zog sie eng an sich. »Aber erwarte nicht, dass ich mit dir rumknutsche, wenn's nicht unbedingt sein muss!«

Dags zuckte die Achseln. Sie war nicht blind. Olaf mochte Guddie, wahrscheinlich war er in sie verknallt – wahrscheinlich waren *beide* ineinander verknallt. Sie wartete auf den eifersüchtigen Stich in ihrer Brust und war nicht verwundert, als er ausblieb. Olaf war ihr zu langweilig, seine Schweigsamkeit ging ihr auf die Nerven. Andererseits machte gerade das ihn wieder interessant, wenn auch aus einem anderen Grund. Sie war immer noch fest entschlossen, hinter sein Geheimnis zu kommen.

Aber nicht jetzt. Der Glatzkopf, der nach wie vor am Wagen stand, hob alarmiert den Kopf, als sie und Olaf langsam an ihm vorbei über die Straße auf das Portal zuschlenderten. Zum ersten Mal sah Dags ihn aus der Nähe. Guddie hatte Recht gehabt, er sah fies aus. Fies und brutal. Sein Babygesicht würde keine Regung zeigen, wenn er eine Fliege zerquetschte … oder jemandem den Arm ausriss. Im Moment machte sie sich allerdings weniger Gedanken um ihn als um seinen Boss. Falls Griffith sie als das Mädchen wiedererkannte, das er tags zuvor im Kempinski getroffen hatte …

Quatsch! Er hat dich nicht mal angesehen.

Zwei Meter von Griffith und Röhricher entfernt blieben sie und Olaf stehen und umarmten sich unbeholfen. Die Männer standen mit den Rücken zu ihnen und hatten ihr Näherkommen nicht bemerkt. Gut.

Weniger gut war, dass von dem, was sie miteinander besprachen, kaum ein Wort zu verstehen war. Das Einzige, was Dags deutlich hören konnte, war ihr eigener heftiger Herzschlag. Aber dann hob der Senator die Stimme. Griffith hatte eindringlich auf ihn eingeredet und Röhricher gab ein leises Lachen von sich.

»… nennen wir es eine Lebensversicherung. Ich habe alle Einzelheiten unserer kleinen Abmachung zu Papier gebracht. Falls etwas schiefgeht oder Sie versuchen sollten mich zu betrügen, sind wir beide dran.«

»Es wird nichts schiefgehen«, erwiderte Griffith heftig.

»Nicht nach über einem Jahr der Vorbereitung. Wo befinden sich diese Papiere?«

»Ich habe sie dabei.«

Röhricher hob den Aluminiumkoffer hoch und bemerkte dabei das in seiner Nähe stehende Pärchen. Dags grub ihre Hände fester in Olafs Rücken, als der Senator verärgert die Stirn runzelte und Griffith an einem Arm hinter sich herzog.

»Wenn wir jetzt hinter ihnen herlaufen, schöpfen sie Verdacht«, flüsterte sie an Olafs Schulter.

»Wir haben genug gehört«, gab Olaf genauso leise zurück. »Lass uns zurück zum Wagen gehen.«

Dags war keinesfalls der Meinung, genug gehört zu haben, aber Röhricher, der mit Griffith zehn Meter weitergegangen und stehen geblieben war, äugte bereits argwöhnisch in ihre Richtung.

»Also gut. Gehen wir.« Sie drehte sich um und ihr Blick fiel auf den schwarzen Mercedes. Der Fahrer saß immer noch hinter dem Steuer und las Zeitung und der Glatzkopf –

»Oh, Scheiße!«, entfuhr es ihr. Von dem Glatzkopf war weit und breit nichts zu sehen. »Nicht rennen!« Sie hielt Olaf am Ärmel fest. Er war kreidebleich geworden. »Langsam weitergehen. Sonst merkt der Fahrer noch, dass etwas faul ist.«

Sie rannten erst, als sie um die Ecke gebogen waren, den U-Bahn-Eingang passiert hatten und sich außer Sichtweite des Mercedes befanden. Dags stürzte auf Mildred zu und warf einen Blick hinter die Vordersitze. Das Herz rutschte ihr bis in die Kniekehlen. Olaf schlug mit geballter Faust auf das Autodach.

Der Wagen war leer. Guddie war verschwunden.

∿∧

Durch die verschmutzte Windschutzscheibe des Volvo beobachtete Guddie, wie Inge Warlatzke mit wehendem Mantel an der U-Bahn-Station vorbeiging und in einer Nebenstraße verschwand. Sie überlegte, ob sie aussteigen und ihr nachlaufen sollte, entschied sich aber dagegen. Dazu musste sie den kleinen Platz überqueren und sich so der Gefahr aussetzen, von dem Glatzkopf entdeckt zu werden.

Alles Mist …

Das Warten und die Sorge um ihre Mutter machten sie verrückt. Es war idiotisch gewesen, überhaupt mitzukommen. Sie könnte jetzt im Krankenhaus sein und das Ergebnis der Operation abwarten. Stattdessen hockte sie in einem Wagen, der aufdringlich nach einem altmodischen Eau de Toilette roch, dessen Fenster langsam von innen beschlugen und in dem sie sich fühlte wie in einer Zwangsjacke, die immer enger zugeschnürt wurde. Kurz entschlossen stieg sie aus.

Sie atmete tief die frische Luft ein und ging auf die andere Straßenseite, wo sie sich gegen eine kalte Hausmauer presste. Sie würde sich in Acht nehmen. Der Glatzkopf würde sie nicht sehen, ganz bestimmt nicht. Sie würde nur kurz um die Ecke schauen, ihre Neugier befriedigen und dann zurück zu Mildred gehen.

Guddie beugte sich vor – und wäre vor Entsetzen fast versteinert, als wie aus dem Boden gewachsen der Glatzkopf vor ihr stand! Der Mann zuckte zusammen, genauso überrascht wie sie selbst. Seine Augen weiteten sich vor Erstaunen, als er sie wiedererkannte.

Guddie gab sich keine Zeit zum Nachdenken. Sie stieß sich von der Hauswand ab, wirbelte herum und rannte. Wenn sie es bis zum Gendarmenmarkt schaffte … Sie nahm die nächste Seitenstraße nach links. Hinter ihr ertönte das Klackern harter Absätze auf festem Asphalt.

Sie erreichte das Ende der Straße, schoss hinaus auf den Gendarmenmarkt und sah sich im Laufen verzweifelt um. Der Platz war wie leer gefegt. Niemand ging bei diesem Wetter freiwillig aus. Der einzige Mensch, der zu sehen war, war ein Mann in einem braunen Regenmantel, der auf den Stufen des Französischen Doms stand. Erleichtert rannte sie auf ihn zu. Wenn jemand sie vor ihrem Verfolger retten konnte, dann dieser Mann.

Sie stolperte hastig die Treppe hinauf und hätte vor Enttäuschung beinahe laut aufgeschrien. Der Mann starrte sie aus glasigen Augen an. Er war betrunken, so betrunken, dass er sich kaum noch auf den Beinen halten konnte.

Sein Regenmantel war schäbig und voller Löcher. Er legte eine Hand auf ihre Schulter.

»Haste 'ne Mark für 'n alten Säufer?«

Von hinten näherte sich der Glatzkopf mit dem unbeirrbaren und gleichmäßigen Schritt eines Roboters. Zur Umkehr war es zu spät. Guddie schüttelte die Hand des Betrunkenen ab, zerrte das Portal des Doms auf und schlüpfte hinein.

Die nächste Enttäuschung war eine abgeschlossene Gittertür, hinter der sich ein kleiner Vorraum befand. *Turm geöffnet,* verkündete ein kleines, daran befestigtes Schild mit einem nach rechts zeigenden Pfeil. Wenn sie Glück hatte, gab es in den oberen Stockwerken eine offene Tür und vielleicht waren Touristen auf dem Turm. Ohne zu zögern, schoss sie die ersten Stufen hinauf. Sie flog förmlich über die Treppe aus dunklem Holz, die sich an der Innenwand des Turms nach oben schraubte. Unten schlug krachend das Portal zu. Ihr Verfolger war im Turm.

Stufe um Stufe hetzte sie weiter. Dann sah sie die erste Tür. Sie war aus massivem Holz, tief in die Wand eingelassen, besaß eine schwere Klinke aus Messing – und war ebenfalls vergittert! Im nächsten Stockwerk war es dasselbe, im folgenden ebenfalls. Gitter, überall Gitter! Der Turm hallte von den klappernden Echos ihrer Schritte und der ihres Verfolgers wider.

Sie hatte den Zugang zur Aussichtsplattform, einen

niedrigen Rundbogen, erreicht, als sie einen schmerzhaften Aufschrei hörte und die Schritte ihres Verfolgers plötzlich verstummten. Sie riskierte einen Blick über die Schulter. Zwanzig Treppenstufen weiter unten war der Glatzkopf ausgerutscht und gestürzt. Er richtete sich sofort wieder auf, feuerte einen hasserfüllten Blick auf Guddie ab und humpelte weiter. Sie duckte sich und schlüpfte durch den Rundbogen.

Kalter Wind schlug ihr entgegen, dann stand sie über den Dächern Berlins. Nach Luft schnappend stützte sie sich auf dem steinernen Geländer ab, auf das unzählige Besucher ihre Namen gekritzelt hatten. Ihr Blick flog über die Museumsinsel und den Dom, der wie ein graugrüner Wal vor dem dunklen Himmel schwamm, weiter nach rechts über den Fernsehturm auf dem Alexanderplatz, über die Nicolaikirche, das Rote Rathaus …

Sie sah nach unten. Die Tiefe erschien ihr bodenlos und ihr Magen zog sich ruckartig zusammen. Plötzlich bemerkte sie zwei dunkle Punkte, die über den nass glänzenden Platz liefen. Dags und Olaf! Mit fliegender Hast schälte sie sich aus ihrer Jacke und schleuderte sie, so weit sie konnte, über das Geländer. Dann umrundete sie die Kuppel zur Hälfte und blieb keuchend stehen.

Der enge Aussichtsgang zog sich einmal rund um die Kuppel herum, der Glatzkopf konnte also von jeder Seite kommen. Fieberhaft überlegend sah sie nach links und nach rechts. Ihre Augen suchten das Geländer und seine steinernen, flaschenförmigen Streben ab, als böten sie eine Hilfe.

Aber taten sie das nicht? Wenn es ihr gelang, sich zwischen zwei dieser Streben hindurchzuquetschen, außen auf das Sims zu stellen und sich am Geländer festzuhalten, während …

Außen ist nur Luft, du wirst abstürzen!

Sie schluckte, zwang sich dazu, nicht nachzudenken, und bückte sich. Mit zitternden Händen umklammerte sie eine der Streben und zwängte ihren Körper durch das steinerne Geländer. Ihr linker Fuß tastete nach Halt und fand den Mauervorsprung. Der rechte Fuß folgte. Das Sims war schmal, aber es musste genügen. So vorsichtig wie möglich ließ sie sich an der Außenseite der Kuppel langsam in die Hocke gleiten, die Hände fest um die kalten Geländerstreben geschlossen.

Schau nicht runter!

Dann sah sie vor sich, zwischen den Streben, die Beine des Glatzkopfs. Er stand mit dem Rücken zu ihr, was einleuchtend war, da er so beide Seiten des Ganges einsehen konnte. Falls er sich umdrehte und den Kopf nur ein wenig senkte, würde er sie entdecken. Sie biss sich auf die Lippe und wartete, fest davon überzeugt, er werde ihr Atmen oder ihr aufgeregt pochendes Herz hören. Der Wind zerrte an ihr und peitschte ihr die Haare um den Kopf. Ihre Arme begannen zu schmerzen.

Schau nicht runter, schau nicht runter …

Der Glatzkopf machte ein paar Schritte weiter nach links. Mit dem zweiten und dritten Schritt begann er sich umzudrehen. Guddie schloss die Augen und dachte an ihre Mutter.

»Wahnsinn!«, hörte sie plötzlich eine begeisterte Stimme schreien. »Was für ein toller Ausblick! Einfach Wahnsinn!«

Sie fühlte zwei Hände nach ihren Armen greifen. Für einen Moment war ihr, als würde die Welt sich wie rasend um sie herum drehen, schneller und schneller. Als sie die Augen öffnete, blickte sie in die besorgten Gesichter von Olaf und Dags.

Dags würde den hasserfüllten Blick des Mannes mit der Glatze nie vergessen. Olaf und sie hatten kaum lärmend die Plattform gestürmt, als er auch schon an ihnen vorbei- und die Treppe hinabgelaufen war.

»Die Turnübung hätte ich dir gar nicht zugetraut«, keuchte sie, als sie Guddie gemeinsam auf die Plattform zurückhalfen. Ihre Beine schlotterten, als hätte sie selbst soeben über dem Abgrund gehangen.

»Mir ist schlecht«, erwiderte Guddie. »O Mann, ich glaube, ihr habt mir das Leben gerettet.«

»Kein Problem für die Helden von Berlin.« Olaf hielt ihr mit einem schiefen Grinsen die von der Landung auf dem Domplatz total verschmutzte Jacke entgegen, die kurz zuvor wie ein kleiner heller Fallschirm von der Spitze des Turms herab direkt vor seine Füße geschwebt war. Guddie lächelte ihn dankbar an.

Eigentlich hätte ich gewettet, dass sie sich um den Hals fallen, dachte Dags. Aber keiner von beiden traut sich den ersten Schritt zu machen. Immer noch atemlos von dem Spurt auf den Turm beugte sie sich über die Brüstung und beobachtete, wie der Glatzkopf tief unter ihnen über den Gendarmenmarkt lief. Kurz darauf kam der schwarze Mercedes aus der Taubenstraße gefahren und verschwand.

»Das war's dann wohl«, sagte Olaf neben ihr.

»Ja«, flüsterte Dags. »Und alles war umsonst.«

Sie berichteten Guddie, was sie herausgefunden hatten: so gut wie nichts, außer dass Griffith mit dem Berliner Kultursenator wohl schon seit längerem ein offensichtlich illegales Geschäft plante – warum sonst war der Mann im hellgrauen Anzug entführt worden? Es musste einen Zusammenhang zwischen diesem Geschäft, der Entführung und dem Pergamonmuseum geben. Aber welchen?

Dags fühlte sich, als wären ihre Hände auf dem Rücken gefesselt, während die Antworten vor ihr lagen wie die durcheinandergeratenen Teile eines Puzzles, die nur noch richtig zusammengesetzt werden mussten. Sie warf einen Blick hinüber zur Museumsinsel. Die Sonne hatte die Wolken durchbrochen und tauchte die einzelnen Gebäude in unwirkliches, märchenhaftes Licht.

»Und jetzt?«, fragte Guddie.

»Nichts«, gab sie übellaunig zurück. »Wir haben keine weiteren Anhaltspunkte. Der Glatzkopf hat dich zum zweiten Mal gesehen und über Olaf und mich macht er sich jetzt vielleicht auch Gedanken.«

»Stimmt. Röhricher und Griffith werden jetzt sicher besonders vorsichtig sein«, sprach Olaf ihren Gedanken aus.

»Allerdings«, murmelte Dags. Noch nie zuvor war sie so frustriert gewesen. »Damit können wir die Sache dann wohl vergessen.«

»Wir könnten Bernd Wörlitzer Bescheid sagen«, schlug Guddie vor. Olaf winkte ab, aber sie fuhr trotzdem fort. »Ich meine, vielleicht glaubt er uns ja und ihm fällt ein, wie man die Polizei überzeugen könnte?«

Die letzten Wörter waren immer leiser geworden. Offenbar glaubte sie selbst nicht an das, was sie gesagt hatte. Bis sie den Französischen Dom verlassen hatten und bei Mildred angekommen waren, schwiegen sie. Inge war von ihrem Spaziergang noch nicht zurückgekehrt.

»Also alles aus und vorbei?«, fragte Guddie.

»Aus und vorbei«, wiederholte Dags. Sie wandte sich an Olaf, der geistesabwesend und mit in Falten gelegter Stirn neben Guddie stand. »Oder was meinst du?«

Er zuckte die Achseln und sah dabei auf seine Schuhe. Sein Kopf lag ein wenig schräg, als lausche er einer inneren Stimme. »Wenn wir irgendwie an die Papiere rankommen könnten, die Röhricher in seinem Koffer hat«, murmelte er eindringlich. »Ich weiß nur nicht, wie.«

»Na ja«, sagte Dags zögernd. Ihr war plötzlich eine Idee gekommen, von der sie nicht wusste, ob sie den beiden anderen gefallen würde. »Wir könnten natürlich ...«

»Was?«

»Wir wissen doch, dass Röhricher nachher im Treptower Park rumspringt, bei der Schiffstaufe. Also könnten wir vielleicht versuchen den Koffer dort zu ... stehlen?«

Guddie fiel die Kinnlade herab.

Olaf kniff die Augen zu schmalen Schlitzen zusammen. Dann nickte er langsam und schürzte die Lippen. »Hmmm«, murmelte er gedehnt, »das ist natürlich eine Möglichkeit. Darauf wäre ich gar nicht gekommen.«

Kapitel 9

Stilles Wasser, wildes Wasser

Die Sonne stand hoch über dem Treptower Park. Kräftiger, von Westen wehender Wind hatte die letzten Wolken vom Himmel vertrieben, und die Luft, warm und dampfend von aufsteigender Feuchtigkeit, duftete nach frisch gemähtem Gras und dem dunkelgrünen Wasser der Spree. Unzählige Menschen drängten sich auf der Uferpromenade und begutachteten den neuen Ausflugsdampfer der Weißen Flotte, der auf den Wellen des Flusses schaukelte.

Guddie würde das mögen, dachte Olaf. Er drückte sich etwas enger an die kühle Rinde des Baums, hinter dem er und Dags sich verborgen hielten, und beobachtete den Menschenauflauf, erstaunt darüber, dass man um eine Schiffstaufe so viel Aufhebens machen konnte. Wahrscheinlich, überlegte er, war Guddie inzwischen längst bei ihrer Mutter im Krankenhaus. Inge Warlatzke hatte, nachdem sie von ihrem Spaziergang zurückgekommen war, angeboten sie dorthin zu bringen. Er selbst und Dags waren mit der S-Bahn nach Treptow gefahren, versehen mit Inges scherzhaftem Rat, das Detektivspielen nicht zu übertreiben. Keiner von ihnen hatte den Plan erwähnt,

Röhrichers Koffer zu stehlen, wenn sich eine Gelegenheit dazu bot. Guddies Abenteuer hatten sie gegenüber der alten Frau ebenfalls verschwiegen.

Wenn die wüsste!

Er erinnerte sich an den panischen Schrecken, der ihn ergriffen hatte, als er Guddie am Geländer des Französischen Doms hängen gesehen hatte. Und leicht verärgert dachte er an seine Unsicherheit, als er nach ihrer Rettung nicht gewusst hatte, ob er sie in die Arme nehmen sollte.

»Röhricher wird eine Rede halten«, unterbrach Dags seine Gedanken. Sie machte eine Kopfbewegung nach links.

Knapp zwanzig Meter von ihnen entfernt war ein schmiedeeisernes Geländer in die steinerne Uferbefestigung eingelassen. Unmittelbar davor stand ein mit Plakaten beklebter Tisch, hinter dem ein Mann und eine Frau damit beschäftigt waren, Prospekte und bunte Luftballons zu verteilen. Röhricher hielt sich ebenfalls dort auf. Er scherzte mit der Frau, während er aus seinem geöffneten Koffer einige Zettel hervorholte.

»Propaganda«, schnaubte Dags verächtlich. »Der macht aus der Schiffstaufe eine Werbeveranstaltung für sich und seine Partei.«

Röhricher klappte den Koffer zu und stellte ihn neben dem Tisch zu Boden. Er richtete seine Krawatte und ging, die Zettel mit der Rede in einer Hand, auf einen mit Girlanden geschmückten Steg zu, der auf das Deck des Schiffes führte und vor dem ein schlichtes hölzernes Podium errichtet worden war. Zweifellos vertraute er darauf, dass seine Parteigenossen auf den Koffer aufpassten, während er seine Ansprache hielt.

»Jetzt oder nie!«, zischte Olaf. Er fühlte, wie sein Puls sich beschleunigte. »Was machen wir, wenn wir den Koffer haben?«

»Durchsuchen und die Unterlagen rausholen.«

»Und anschließend?«

»Schmeißen wir ihn weg. Wenn wir die Papiere haben, können wir sie zur Polizei bringen. Was auch immer Röhricher vorhat, er wird die Finger davonlassen, sobald er weiß, dass jemand hinter sein Geheimnis gekommen ist.«

Der Senator hatte das Podium noch nicht erreicht, weil er immer wieder stehen blieb, um sich von Pressefotografen ablichten zu lassen und die sich ihm aus der Menge entgegenstreckenden Hände zu schütteln. Offensichtlich war er nicht bei allen Leuten so unbeliebt wie bei Inge Warlatzke.

»Du oder ich?«, flüsterte Dags mit rauer Stimme.

Olaf hatte beschlossen vorsichtig zu sein. Dags war alles andere als dumm, und wenn er sich nicht vorsah, könnte sie ihm auf die Schliche kommen. Bis jetzt hatte sie noch nicht gemerkt, dass er sie dazu gebracht hatte, wie von selbst auf die Idee mit dem Diebstahl zu kommen – und dabei sollte es auch bleiben. Er holte tief Luft, als müsse er sich zu einer Entscheidung durchringen. »Ich hab zwar Schiss«, sagte er dann, »aber ich werde es versuchen.«

»Okay.« Dags zeigte auf den Tisch und den Koffer. »Es muss aussehen wie selbstverständlich, wenn du ihn nimmst.«

Olaf nickte stumm, löste sich aus dem Schatten des Baumes und ging los.

»Viel Glück!«, rief Dags ihm leise nach.

Er schob sich durch die Menschenmenge und wartete dabei auf das vertraute Kribbeln, auf das Gefühl der Übelkeit, auf die vertraute Stimme in seinem Kopf und darauf, dass die Welt sich plötzlich zusammenziehen und auf einen Punkt verengen würde. Nichts davon geschah. Er war bis auf drei Meter auf den Tisch zugegangen, als ihm der Schweiß ausbrach. Verwirrt blieb er stehen. Dann wurde ihm tatsächlich übel, aber nur deshalb, weil schon der Gedanke, den Koffer zu stehlen, ihn mit heftigem Widerwillen erfüllte. »Ich schaffe es nicht!«, flüsterte er.

Er warf einen letzten Blick auf den Tisch und den Koffer, bevor er sich zwischen den Schaulustigen hindurchdrängte und mit gesenktem Kopf zu Dags zurückging. Sie sah ihm fragend entgegen.

»Ich … ich kann es nicht«, flüsterte er.

»Hey, ist schon okay.« Sie gab ihm einen freundschaftlichen Knuff. »Dann versuche ich es eben. Ich hab zwar auch keine Erfahrung im Klauen, aber …«

Sie führte den Satz nicht zu Ende. Im nächsten Moment war nur ihr rotbrauner Lockenkopf zu sehen, dann hatte die Menschenmenge die kleine Gestalt in der dunkelblauen Jeansjacke verschluckt. Olaf sah sie erst wieder, als Dags, mit ihm zugekehrtem Rücken, am Geländer neben dem Tisch stand und wie beiläufig auf die Spree starrte.

Er schaute hinüber zu Röhricher. Der Senator hatte unter donnerndem Applaus und anhaltenden Pfiffen das Podium betreten und klopfte gegen das Mikrofon. Er strahlte wie der Präsident der Vereinigten Staaten, als er seine Zettel vor sich ausbreitete, und genoss den ihm von allen Seiten entgegengebrachten Beifall so offensichtlich, dass Olaf schon vom bloßen Zusehen schlecht wurde.

»Meine lieben Berlinerinnen und Berliner ...«

Wenn überhaupt, dachte Olaf, dann jetzt. Alle Aufmerksamkeit war auf Röhricher gerichtet, keiner beachtete den Aluminiumkoffer. Der Mann und die Frau waren hinter dem Tisch hervorgetreten, sie klatschten und pfiffen mit, was das Zeug hielt. Dann ebbte der Beifall ab und es wurde ruhiger.

»... wir sind heute hier zusammengekommen ...«

Olaf warf einen nervösen Blick zur Seite und wollte seinen Augen nicht trauen. Er hatte höchstens für zehn Sekunden fortgesehen, doch der Koffer war verschwunden.

»Gehen wir«, ertönte hinter ihm eine Stimme.

Überrascht wirbelte er herum. Dags war von hinten an

ihn herangetreten. Sie hob den Koffer kurz an, grinste schräg und ging weiter. Olaf lächelte erleichtert zurück und folgte ihr. Vielleicht war es an der Zeit für einen inneren Waffenstillstand mit Dags. Sie mochte Fremdwörter benutzen und ein Mondgesicht sein. Aber, verdammt, sie hatte auch das Zeug zu einem waschechten Profi!

Dags klopfte das Herz bis zum Hals. Sie fühlte den Koffer wie ein Bleigewicht an ihrem Arm hängen und jeder Schritt über das Gras unter ihren Füßen schien sie tiefer zu Boden zu ziehen. Obwohl keiner den Diebstahl bemerkt hatte, rechnete sie immer noch damit, dass man ihr im nächsten Moment schreiend nachlaufen würde.

»Und jetzt?«, fragte Olaf, der neben ihr herging.

»Lass uns irgendwo zwischen den Bäumen verschwinden. Hier sind mir zu viele Leute.«

Mit schnellem Schritt ging sie auf den Rand des Parks und auf einen kopfsteingepflasterten breiten Weg zu, der in ein angrenzendes Waldstück führte. Eine ihnen entgegenkommende ältere Frau musterte neugierig den Aluminiumkoffer. Die Frau erinnerte Dags nicht nur an Inge, sondern auch an die Wilmersdorfer Witwe, Annemarie Wöllner, und ihren degenerierten Pudel. Ich werde noch zur Expertin in Sachen Lügen und Diebstahl, dachte sie unbehaglich. Das schlechte Gewissen, das sie schon seit dem gestrigen Anruf bei Inge begleitete, sank endgültig auf sie herab wie eine Gewitterwolke.

»Hätte nie gedacht, dass du so gut klauen kannst«, bemerkte Olaf. Aus seiner Stimme klang unverhohlene Bewunderung.

»Ich auch nicht«, erwiderte Dags düster. »Dafür werde ich wahrscheinlich in der Hölle schmoren.«

»Glaubst du an die Hölle?«

»Quatsch!« Der Gedanke ließ sie laut auflachen und mit dem Lachen verschwand auch das schlechte Gewissen. »Höchstens an einen Himmel ohne Schokolade.«

Sie blickte auf, als aus der dem Flussufer entgegengesetzten Richtung lautes Gelächter und die Schreie ausgelassener Menschen erklangen. Olaf deutete über die Wipfel der Bäume hinweg auf die obersten Gondeln eines sich träge drehenden Riesenrades. »Der Spreepark. Ein riesiger Rummelplatz. Da kann man den ganzen Tag drin rumspringen, wenn man erst mal Eintritt bezahlt hat.«

»Warst du schon mal hier?«

»Ist lange her.«

»Mit deinen Eltern?«

An Stelle einer Antwort bog Olaf vom Weg ab und schob sich zwischen zwei Büschen in den Wald. Mit einem unterdrückten Seufzer, weil es scheinbar unmöglich war, ihm irgendwelche persönlichen Informationen zu entlocken, stapfte Dags über einen Teppich aus feuchtem und raschelndem Laub hinter ihm her. Olaf steuerte einen entwurzelten, mit Moos bewachsenen Baumstamm an, vor dem er in die Hocke ging. Dags stellte den Koffer ab und ließ sich neben ihm auf die Knie sinken.

»Dann wollen wir doch mal sehen, was uns die Schatzkiste zu bieten hat«, flüsterte Olaf. Er drückte gegen die beiden Schnappschlösser, die mit einem lauten Klicken aufsprangen, und klappte den Kofferdeckel hoch. »Sesam, öffne dich!«

Die Enttäuschung schwappte über Dags hinweg wie eine Welle kalten Wassers. »Mist!«, zischte sie wütend nach einem Blick in den Koffer. »Das Schwein hat Griffith angelogen!«

Bis auf eine Tageszeitung, einen vergoldeten Füller, eine Illustrierte und einen dünnen Terminkalender war der Koffer leer. Es gab keine Papiere, keine losen oder zusammengehefteten Blätter, keine Unterlagen, die auch nur im Entferntesten auf Griffith oder auf das hinwiesen, was er und Röhricher planten.

»Warum sollte er gelogen haben?«, fragte Olaf.

»Um sich zu schützen«, erwiderte Dags nach kurzem Überlegen. Die Annahme ergab einen Sinn. »Er befürchtet, Griffith könnte ihn übers Ohr hauen, also hat er die Geschichte mit den Papieren erfunden. In Wirklichkeit gibt es gar nichts, das Griffith oder Röhricher belasten könnte.«

»Scheiße, dann sind wir also keinen Schritt weiter?« Olaf nahm den Terminkalender aus dem Koffer und blätterte ihn durch. »Und was ist damit?«

Dags zuckte die Achseln. Die meisten Seiten des Kalenders waren mit dichter Blockschrift gefüllt. »Sieh mal unter dem heutigen Datum nach.«

Olaf schlug Freitag, den zweiten Juli, auf. »Also, heute Vormittag, als er mit Griffith verabredet war, hat er nur einen Kringel um die Zeit gemacht, elf Uhr dreißig. Und hier, fünfzehn Uhr: *Wotan*. Das ist die Schiffstaufe.«

»Hey, sieh mal da!« Dags' Stimme war zu einem Flüstern herabgesunken. Sie tippte auf die Termine für den folgenden Tag. Am Samstagmorgen war Röhricher zum Joggen verabredet, am Nachmittag wollte er ein Fußballspiel besuchen und abends ...

»Das Zickzackmuster!«, flüsterte Olaf.

»Ja«, erwiderte Dags atemlos. Sie nahm Olaf den Kalender aus der Hand und studierte das Muster der drei aneinandergefügten, offenen Dreiecke. Etwas stimmte nicht damit. Die Spitzen der Dreiecke wiesen nach oben und nicht, wie auf dem Zettel des entführten Mannes, nach unten. »Es steht auf dem Kopf.«

»Stimmt.« Olaf runzelte die Stirn. »Und sieh dir die Uhrzeit an: dreiundzwanzig Uhr?«

»Darüber können wir später nachdenken. Es wird Zeit, dass wir den Koffer zurückbringen.«

»Ich dachte, wir lassen ihn hier liegen?«

»Das hätten wir gemacht, wenn wir Beweismaterial gefunden hätten, aber wir haben keines.« Dags blätterte den Kalender auf der Suche nach weiteren Eintragungen durch. Als sie nichts fand, was ihr von Interesse erschien, legte sie ihn zurück in den Koffer und klappte den Deckel zu. »Bis morgen können wir immer noch herauskriegen, was das Zickzackmuster bedeutet. So lange braucht Röhricher nicht zu wissen, dass wir ihm auf den Fersen sind. Also muss der Koffer zurück.«

»Okay, aber dann müssen wir uns beeilen. Viel Zeit haben wir bestimmt nicht mehr, bis er mit der Rede fertig ist.«

»Stimmt.« Dags schnappte sich den Koffer, stand auf und kämpfte sich durch die Büsche zurück auf den Weg. »Ich bringe das Ding zurück. Du lenkst Röhricher ab, falls er schneller als ich wieder am Tisch ist.«

Olaf wich einem zurückfedernden Ast aus, dann trat er neben sie auf den Weg. »Ach, und wie soll ich —«

Plötzlich hielt er inne. Sein Gesicht war zu einer kalkweißen Maske erstarrt, in der zwei dunkle Augen flackerten. Dags folgte seinem Blick und bemerkte einen Mann und eine Frau, die ihnen Arm in Arm aus dem Park entgegengeschlendert kamen. Der Mann hatte Olaf ebenfalls gesehen. Er löste sich aus dem Arm der Frau, ging auf ihn zu und baute sich vor ihm auf.

»Wie klein ist doch die Welt«, sagte er mit unbewegter Miene. »Man trifft sich immer wieder. Vielleicht sollten wir die Gelegenheit zu einer kleinen Unterhaltung nutzen?«

Olafs Lippen zitterten, als wollte er etwas erwidern.

Dags sah fragend zwischen ihm und diesem Mann, den sie nie zuvor gesehen hatte, hin und her. Der Typ war so unauffällig, dass sie ihn unter anderen Umständen wahrscheinlich gar nicht weiter wahrgenommen hätte. Völlig unauffällig, mit Ausnahme einer leuchtend roten Narbe, die sich wie ein Feuerstreif über seine linke Augenbraue zog.

»Na, wie sieht's aus?«, fragte der Mann.

An Stelle einer Antwort wirbelte Olaf blitzschnell herum und rannte den gepflasterten Weg hinauf in Richtung Rummelplatz. Der Mann zögerte nur einen Augenblick, dann fluchte er unterdrückt und stürzte ihm nach.

Dags hatte den ersten Moment der Überrumpelung schon vergessen. Ihre Gedanken überschlugen sich vor Aufregung. Sie war sicher, dass dieser Mann etwas mit Olafs Geheimnis zu tun hatte, aber sie konnte nicht hinter den beiden herlaufen. Wenn sie es tat, würde der Koffer nicht rechtzeitig an Ort und Stelle sein. Am liebsten hätte sie geschrien.

Bleib jetzt bloß ruhig!, befahl sie sich. Bleib ruhig und denk nach! Das ist vielleicht deine einzige Chance.

Sie musterte die neben ihr stehende Frau, die den beiden rasch kleiner werdenden Gestalten nachsah. Sie musste Anfang vierzig sein, obwohl ihre adrette Frisur und das pfirsichfarbene Kostüm, das sie trug, ihr ein seltsam altersloses Aussehen verliehen. An ihrem linken Ringfinger glänzte ein schlichter goldener Ring.

»Entschuldigung«, sagte Dags. »Aber Ihr Mann …?«

Die Frau nickte, ohne sie anzusehen.

»Wissen Sie, woher er meinen Freund kennt?«

»Was?«

»Meinen Freund«, wiederholte Dags und vermied es instinktiv, Olafs Namen zu nennen. Als die Frau sich ihr endlich zuwandte, empfand sie ihre unterschiedliche Augenfarbe zum ersten Mal in ihrem Leben als Vorteil. »Kennt Ihr Mann ihn irgendwoher?«

»Nicht dass ich wüsste«, erwiderte die Frau verwirrt. »Das heißt …« Sie schürzte die Lippen und überlegte. »Natürlich! Das muss der Junge sein, über den er sich vorgestern so aufgeregt hat. Der kleine Kerl, der ihm entwischt ist.«

»Entwischt?« Dags wurde ungeduldig. Von der Spree ertönten Pfiffe und lauter Beifall. Offensichtlich hatte Röhricher seine Ansprache beendet und ging jetzt zur Taufe des Schiffes über.

Herrgott, nun red schon! Ich muss den verdammten Koffer zurückbringen!

»Entwischt, ja«, sagte die Frau. »Mein Mann ist Kaufhausdetektiv, weißt du.« Sie sah Dags an und musste deren überraschten Blick missverstanden haben, denn ihre Züge nahmen einen mitleidigen Ausdruck an. »Oh …! Ich nehme an, du hast nicht gewusst, dass dein Freund stiehlt?«

»Nein«, sagte Dags und wunderte sich selbst darüber,

dass sie in diesem Moment die Fassung behielt. »Und ehrlich gesagt kann ich mir das auch nicht vorstellen. Da muss wohl eine Verwechslung vorliegen.«

Von wegen Verwechslung! Das war es also, was Olaf zu verbergen hatte – er war ein Dieb! Ein plötzliches Hochgefühl erfüllte sie und schoss bis in ihre Fingerspitzen. Es erinnerte sie an den Schluck Champagner, den sie zum Jahreswechsel getrunken hatte. Nur dass sie diesmal keine Zeit hatte, dieses Gefühl auszukosten.

»Wenn Sie mich entschuldigen wollen.« Dags drehte sich abrupt um und ließ die Frau stehen. Der Koffer musste zurück, und zwar schnell. Sie hatte nicht übel Lust, das blöde Stück in die Büsche zu pfeffern.

Olaf hetzte über das Kopfsteinpflaster. Berlin hat beinahe vier Millionen Einwohner, schoss es ihm durch den Kopf, und ausgerechnet diesem Typen laufe ich über den Weg! Der Himmel allein wusste, was Dags von der ganzen Sache halten und was sie Guddie erzählen würde. Verdammt …

Er schüttelte den Gedanken unwillig ab und rannte weiter. Einzelne, durch die Kronen der Bäume fallende Sonnenstrahlen zeichneten ein Netzwerk aus Licht und Schatten auf den Weg und er hastete über den flirrenden Wechsel von Hell und Dunkel, Hell und Dunkel. Er überlegte, ob er sich durch die Büsche in den Wald schlagen sollte, ließ die Idee aber sofort wieder fallen. Wenn er über eine Wurzel stolperte und stürzte, konnte er einpacken.

»Hey! Bleib stehen!«

Den Teufel würde er tun! Er warf einen raschen Blick über die Schulter. Der Detektiv trug eine Sommerjacke, die sich im Wind aufblähte wie die Segel eines Schlachtschiffs. Der Abstand zu seinem Verfolger musste gute zehn Meter betragen. Aber der Mann war größer als er selbst, er lief gleichmäßig und ausdauernd. Es war nur eine Frage der Zeit, bis er ihn eingeholt haben würde. Olaf schickte ein Stoßgebet zum Himmel und spurtete schneller.

Der Weg endete vor einem Zaun aus Maschendraht, hinter dem eine andere Welt lag. Lärmende Kinder und lachende Erwachsene drängten sich zwischen bunten Schaubuden hindurch, vorbei an Karussells und anderen Attraktionen. Musikfetzen, anschwellend und wieder abklingend, waberten durch die Luft wie fröhliche Gespenster.

Der Spreepark! Das ideale Versteck! Und nicht genug Zeit, um eine Eintrittskarte zu lösen. Es sei denn …

Olaf hetzte an dem Maschendraht entlang, bis er einen offenen, asphaltierten Platz erreicht hatte, auf dem die Karossen Dutzender geparkter Autos im Sonnenlicht glänzten. Er entdeckte das Kassenhäuschen, eine Art umgebauten Wohnwagen, am Ende des Platzes und lief darauf zu. Die Kartenverkäuferin, eine dicke Frau mit flammend rot gefärbten Haaren, sah hinter ihrem Schalter auf, als er ihr entgegenstürmte. Er zwang sich zu einem Lächeln und hoffte, dass sie ihn für ein begeistertes Kind halten würde, das es nicht abwarten konnte, in den Park zu gelangen.

»Mein Vater bezahlt für mich«, rief er. Er zeigte hinter sich auf den Detektiv, der bis auf fünf Meter an ihn herangekommen war. Die Frau nickte gelangweilt und drückte auf einen Knopf.

Olaf passierte erleichtert das Drehkreuz. Für den Bruchteil einer Sekunde berührte ihn die für jeden Rummelplatz typische Mischung aus Licht, Musik, Lärm und Gerüchen. Als Dags ihn gefragt hatte, ob er schon einmal hier gewesen war, hatte er nur unwillig geantwortet. Der Spreepark war ihm tatsächlich nicht fremd, er kannte ihn von einem Besuch mit seinen Eltern, wenn auch seit jenem Tag schon über ein Jahr vergangen war. Er wusste, dass der Weg durch den Vergnügungspark kreisförmig angelegt war, so dass man bei einem Rundgang an jeder der Attraktionen vorbeikam.

Also wohin, nach rechts oder links?

Nach kurzem Zögern entschied er sich für den linken Weg. Dort waren weniger Menschen unterwegs und er konnte sich schneller bewegen. Ein kurzer Blick zur Kasse genügte, um ihm zu zeigen, dass der Detektiv mit der Kartenverkäuferin argumentierte. Er lachte leise. Wenn der Typ nicht bezahlen wollte, um ihn zu verfolgen, umso besser.

Er lief los und rempelte gleich bei den ersten Schritten einen kleinen Jungen an. Der Knirps heulte empört auf, weil ihm beinahe seine Zuckerwatte aus der Hand gefallen wäre. Olaf entschuldigte sich und hastete weiter. Sein erster Gedanke war gewesen, rechts herum zu laufen und so lange das Riesenrad, die Achterbahn oder den fliegenden Teppich zu benutzen, bis der Detektiv die Suche nach ihm aufgab. Aber die Menschenschlangen vor den einzelnen Attraktionen waren zu lang. Wenn er sich irgendwo vordrängelte, würde das Ärger bedeuten, den er um jeden Preis vermeiden wollte. Bloß nicht auffallen! Das Beste war, sich einfach in der Menge zu verstecken.

Links von ihm erhob sich drohend die Attrappe einer Felslandschaft. Rumpelnde kleine Wagen verschwanden im Schlund eines riesigen Drachen. Klagende Schreie, die von einem Tonband kamen, erfüllten die Luft. Die den Eingang der Geisterbahn bewachenden armseligen Skelette mit ihren rot glühenden Augen grinsten Olaf spöttisch an. Er sah zu Boden, auf das zertrampelte Gras zu seinen Füßen, das von einem Teppich aus zerfledderten bunten Papierchen bedeckt war. Die Nieten aus den Losbuden.

Apropos Nieten, höhnte die Stimme in seinem Kopf. *Lass mich in Ruhe!*

Er lief weiter, vorbei an einer Schießbude und einem Autoscooter und bewegte sich auf den hinteren Teil des Parks zu, wo sich die Wildwasserbahn über die Köpfe der Menschen erhob. Immer wieder drehte er sich um und suchte das Gelände nach dem Detektiv ab.

Menschen, Menschen, überall Menschen ... entnervte Mütter und Väter, die zeternde Kinder an den Händen hielten. Ein junges Pärchen, das sich im Gehen anlächelte und küsste. Eine lachende Frau mit wehenden Haaren, die einen riesigen Teddybären aus Plüsch an sich presste. Ein betrunkener alter Mann mit blasser Haut, der sich schwankend auf einen Regenschirm stützte. Nur der Detektiv war nicht zu sehen.

Olaf hatte das hintere Ende des Rummelplatzes beinahe erreicht, als ein neues Geräusch sich in das rhythmische Dröhnen der allgegenwärtigen Musik mischte: das Knattern von Förderbändern. Dann ragte vor ihm das umzäunte Gerüst der Wildwasserbahn auf, ein kompliziertes Gewirr miteinander verschraubter, metallener Streben. Ölig glänzende Wassertropfen regneten von den darauf montierten Schienen herab. Ein Zischen ertönte, als drei Meter über Olaf ein ausgehöhlter, mit johlenden Menschen besetzter Baumstamm durch eine Kurve schoss und einen gewaltigen Schwall klaren Wassers über den Rand der Fahrrinne trieb. Es platschte vor seinen Füßen zu Boden und bespritzte seine Jeans.

Er blieb stehen. Die Wildwasserbahn interessierte ihn

weniger als der sie umgebende Gitterzaun. Nur wenige Schritte von ihm machte das Gitter einen scharfen Knick, um den Vergnügungspark gegen den dahinterliegenden Wald abzugrenzen. Er stellte sich auf die Zehenspitzen und reckte den Hals. Der Detektiv war nirgends zu entdecken. Beruhigt wandte er sich wieder dem Gitter zu. Es war etwa zwei Meter hoch. Wenn er schnell genug daran emporkletterte und auf der anderen Seite herabsprang …

»Lass es bleiben«, ertönte hinter ihm eine Stimme.

Scheiße!

Olaf drehte sich langsam um und sah direkt in die nahezu farblosen Augen des Detektivs. Automatisch machte er zwei Schritte zurück, bis er das Gitter in seinem Rücken fühlte. Über ihm ertönte ein gleitendes Zischen, als der nächste ausgehöhlte Baumstamm mit kreischenden Passagieren durch die Kurve der Wildwasserbahn schoss. Der Wasserschwall, der über die Rinne schoss, klatschte ihm wie ein Sturzbach in den Rücken. Olaf stolperte nach vorn, genau in die Arme des Mannes, der ihn bei den Schultern festhielt.

»So, und jetzt reden wir Tacheles, Junge«, sagte der Detektiv. »Wie heißt du, wo wohnen deine Eltern? Und lüg mich nicht an, sonst …«

Die Drohung blieb unausgesprochen und Olaf schwieg.

Der Detektiv schüttelte ihn unwillig. »Wird's bald?« Mit einem Kopfnicken deutete er auf die Menschen, die, von dem Zwischenfall wie magnetisch angezogen, um sie herum stehen geblieben waren. »Oder willst du, dass ich die Polizei verständige?«

Olafs Schultern sackten herab und er vergrub hilflos die Hände in den Hosentaschen. Er fühlte sich sterbenselend und hätte alles dafür gegeben, sich in diesem Moment unsichtbar machen zu können. Die nasse Jacke klebte kalt an seinem Rücken, und um seine Füße herum hatten sich kleine Pfützen gebildet.

»Hat es dir die Sprache verschlagen?«

Er schüttelte den Kopf und schickte sich an etwas zu erwidern, als seine Finger in der rechten Hosentasche auf ein Stück Papier stießen. Nein, es war kein Papier. Es war eine Visitenkarte. Es war …

… eine Möglichkeit!

Bevor sein Verstand ihn davor warnen konnte, dass er einen Fehler beging, hatte er die Visitenkarte schon aus der Tasche gezogen und hielt sie dem Mann entgegen.

»Das ist mein Vater«, sagte er mit fester Stimme. »Bernd Wörlitzer. Er ist Fotograf. Meine Mutter liegt im Krankenhaus, sie kriegt den Blinddarm rausgenommen. Wir wohnen in Schöneberg.«

Der Detektiv nahm die Karte an sich, warf nur einen kurzen Blick darauf und steckte sie ein. Die rote Narbe über der linken Augenbraue rutschte ein Stück nach oben und ein selbstgefälliges Grinsen huschte über sein Gesicht. »Nun, dann bereite deinen Herrn Papa schon mal

darauf vor, dass ich ihm morgen einen kleinen Besuch ab-
statten werde. Ist dem Herrn Fotografen zehn Uhr recht?«

Es war keine Frage, es war ein Befehl und für den
herablassenden Tonfall hätte Olaf den Mann am liebsten
geschlagen. Er musterte die Menschen, die Männer und
Frauen, die Kinder mit den weit aufgerissenen Augen,
die um ihn herumstanden, und fühlte Übelkeit in sich
aufsteigen. Keiner von ihnen hätte einen Finger für ihn
gerührt, selbst wenn der Detektiv ihm gegenüber hand-
greiflich geworden wäre.

»Ja«, sagte er leise. »Ich denke, das ist ihm recht.«

Kapitel 10

Was Griffith will

Jeder Aufstieg durch das verwahrloste Treppenhaus erinnerte Guddie daran, dass sie früher ebenerdig und nicht im vierten Stock gewohnt hatten. Als die Wohnungstür hinter ihr zugefallen war, stellte sie aufatmend die schwere Plastiktasche mit Inges Büchern ab und gönnte sich eine kleine Verschnaufpause. Dann zog sie ihre schmutzige Jacke aus, trug sie ins Badezimmer und steckte sie in die Waschmaschine.

Überrascht bemerkte sie, dass ihre Hände wieder zu zittern begonnen hatten. Die schrecklichen Minuten auf dem Französischen Dom steckten ihr noch immer in den Knochen. »Schluss damit!«, befahl sie sich und drückte resolut den Deckel der Waschmaschine zu.

Sie ging zurück in den Flur, holte die Plastiktasche und schleppte sie in ihr Zimmer. Während sie die Bücher auspackte und über den Fußboden verteilte, dachte sie an den Besuch im Krankenhaus. Die Operation war zwar ohne Komplikationen verlaufen, aber das tapferverkrampfte Lächeln, das blasse Gesicht und die dunklen Ringe unter den Augen ihrer Mutter hatten Guddie davon abgehalten, alles zu erzählen, was ihr zugestoßen war, wie sie es sich eigentlich vorgenommen hatte. Geheimnisse vor ihrer Mutter zu haben war etwas, das sie hasste. Und dann waren da noch Frau Bergers Zimmergenossinnen gewesen, zwei Frauen, die der Unterhaltung zwischen ihr und ihrer Mutter interessiert gelauscht hatten.

»Du kommst allein zurecht zu Hause?«, hatte Frau Berger mit kraftloser Stimme gefragt.

»Kein Problem.«

»Großes Mädchen, hm?«

»Ich geb mir Mühe.«

»Was hältst du davon, ein paar Tage Urlaub zu machen?«

»Allein?«

»Nein, wir beide. Sobald ich wieder einigermaßen auf dem Damm bin, in ein oder zwei Wochen, nehme ich mir frei. Wir packen unsere Sachen und fahren irgendwohin. Okay?«

Die Antwort war eine stürmische Umarmung gewesen, bei der Frau Berger schmerzhaft das Gesicht verzogen hatte. Guddie hatte ihr versprochen sie am nächsten Tag wieder zu besuchen. Auf dem Weg nach Hause hatte sie gesungen. Plötzlich schienen die Häuser und das Leben um sie herum farbenfroher geworden zu sein.

Jetzt, nachdem sie sich davon überzeugt hatte, dass es ihrer Mutter gut ging, war sie fast ein wenig traurig darüber, Dags und Olaf nicht in den Treptower Park begleitet zu haben, auch wenn sie nicht daran glaubte, dass es ihnen tatsächlich gelingen würde, Röhricher den Koffer zu stehlen. Damit war die einzige Spur, die ihnen blieb, das Zickzackmuster – und danach würde sie jetzt suchen, selbst wenn es den ganzen restlichen Tag dauern sollte.

Sie seufzte, streckte sich bäuchlings auf dem Boden aus und nahm sich das erste Buch vor. Während der Fahrt zum Krankenhaus hatte Inge sie darauf aufmerksam gemacht, dass es von einem der Architekten des Pergamonmuseums persönlich verfasst worden war, einem Mann namens Ludwig Hoffmann. Das Buch roch leicht modrig und sah so aus, als würde es schon beim Aufschlagen der ersten braun geränderten Seiten auseinanderfallen. Sein Alter war jedoch nicht die einzige Besonderheit. Neben mehreren von eigener Hand geschriebenen Seiten in kaum leserlicher Schrift hatte Ludwig Hoffmann dem Buch auch die Grundrisszeichnung des Pergamonmuseums und des Neuen Museums beigefügt.

»Ehrlich gesagt habe ich weder das Buch noch die Notizen je gelesen, obwohl Hoffmann selbst es meinem Vater geschenkt hat«, hatte Inge zugegeben. »Weißt du, für Architektur habe ich mich nie besonders interessiert.«

Guddie legte das Buch behutsam zur Seite. Es erschien ihr zu kostbar, um darin herumzublättern, und sie wollte nicht durch Unachtsamkeit die Grundrisszeichnung zerstören. Sie kramte den Zettel mit dem Zickzackmuster aus der Hosentasche, nahm das nächste Buch zur Hand und begann es systematisch zu durchforsten. Es enthielt Hunderte von Fotos der Schätze des Pergamonmuseums. Konzentriert, Seite um Seite, betrachtete Guddie die Abbildungen von Münzen und Schmuck, antiken Statuen und Vasen.

Nichts. Absolut nichts.

Im vierten Buch stieß sie auf ein doppelseitiges Farbfoto des Markttors von Milet, von dem sie im Pergamonmuseum so fasziniert gewesen war. Das Licht war genauso eingefangen, wie sie es in Erinnerung hatte; ein sanftes Honiggelb, in dem das Tor von innen heraus zu leuchten schien. Seine Giebel hoben sich scharfkantig vor dem Hintergrund des Oberlichts ab. Sie wusste nicht, was es war, doch das Tor hatte etwas an sich, das sie in seinen Bann schlug, etwas Ehrfurcht Gebietendes, beinahe Heiliges. Sie dachte an die bröckelnde Fassade des schlichten Hauses, in dem sie selbst wohnte, und es erschien ihr unfassbar, dass Menschen einst Bauwerke wie dieses Tor errichtet hatten, die für die Ewigkeit bestimmt waren.

Mit einem Finger strich sie sacht über das Bild, dann riss sie sich davon los, stand auf und ging in die Küche, um sich ein Glas Milch zu holen. Als sie zurückkam, blieb sie im Türrahmen stehen, das Glas in der Hand, und betrachtete ihr Zimmer. Es war klein, doch das war nicht das Problem. Eine Wand war etwas angeschrägt, und obwohl sie sich so viel Mühe gegeben hatte wie möglich, war es ihr nicht gelungen, das Zimmer so einzurichten, wie es früher zu Hause eingerichtet gewesen war.

Hör auf, dachte sie. Das hier ist dein Zuhause.

Aber die Unzufriedenheit blieb. Ihre Kiefernmöbel – Bett, Schrank und Schreibtisch, ein kleines Regal – wollten sich einfach nicht so harmonisch ineinanderfügen, wie sie es von früher kannte. Und die Wände ... Über dem Schreibtisch war ein Poster aufgehängt, auf dem ein Pony ausgelassen über eine Wiese voller Wildblumen galoppierte. Auf einmal gefiel ihr das Motiv nicht mehr. Hatte es im Pergamonmuseum nicht Plakate gegeben, an demselben Stand, an dem Olaf das Buch gekauft hatte? Ihr Blick huschte über die zu ihren Füßen liegenden aufgeschlagenen Bücher und fiel auf das Foto des Markttors von Milet. Vielleicht gab es dieses Motiv als Poster? Sie versuchte sich das Bild an der Wand vorzustellen, was schwierig war, weil es, von der Zimmertür aus gesehen, auf dem Kopf stand. Die Giebel des Tores zeigten mit den Spitzen nach unten, beinahe so, als hätte man dreimal den Buchstaben V aneinandergefügt, und ...

Guddie zuckte so heftig zusammen, dass ihr um ein Haar das Glas entglitten wäre. Sie hätte geschworen ein lautes und deutliches Klicken zu hören, als die einzelnen Bausteine des Rätsels um das Zickzackmuster mit rasender Geschwindigkeit in ihrem Kopf an den richtigen Platz fielen. Und obwohl die Lösung, die sich dabei ergab, so unvorstellbar und absurd war, dass sie sie sofort wieder verdrängen wollte, konnte es keine andere Möglichkeit geben. Alles passte zusammen.

Sie hatte es.

Sie *wusste* es.

»Das ist es!«, flüsterte sie. »Griffith will das Markttor von Milet.«

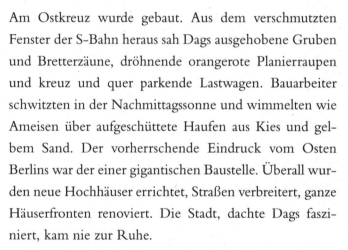

Am Ostkreuz wurde gebaut. Aus dem verschmutzten Fenster der S-Bahn heraus sah Dags ausgehobene Gruben und Bretterzäune, dröhnende orangerote Planierraupen und kreuz und quer parkende Lastwagen. Bauarbeiter schwitzten in der Nachmittagssonne und wimmelten wie Ameisen über aufgeschüttete Haufen aus Kies und gelbem Sand. Der vorherrschende Eindruck vom Osten Berlins war der einer gigantischen Baustelle. Überall wurden neue Hochhäuser errichtet, Straßen verbreitert, ganze Häuserfronten renoviert. Die Stadt, dachte Dags fasziniert, kam nie zur Ruhe.

Sie sank in ihren Sitz zurück, als der Zug wieder anfuhr, und dachte nach. Das Abenteuer mit dem Koffer hatte sie so gut wie vergessen. Ihn zurückzubringen war genauso einfach gewesen wie ihn zuvor zu entwenden. Die Menschen am Spreeufer hatten gebannt zugeschaut, wie Röhricher eine Flasche Sekt am Bug der *Wotan* zerschellen ließ, und der darauf folgende donnernde Applaus war noch nicht verklungen, als sie, unbeobachtet von dem Mann und der Frau, die ihre Parteipropaganda verteilten, den Koffer auch schon wieder neben dem Tisch deponiert und sich aus dem Staub gemacht hatte.

Zum Teufel mit Griffith, mit Röhricher und seinem blöden kleinen Koffer!

Sie hatte ein neues Problem. Wie sollte sie Guddie erklären, wo Olaf abgeblieben war? Am einfachsten wäre es natürlich, die Wahrheit zu sagen: dass er vor einem Kaufhausdetektiv geflüchtet war, der ihn wenige Tage zuvor beim Stehlen erwischt hatte. Aber wie würde Guddie, die über beide Ohren in Olaf verschossen war, darauf reagieren?

Dags fiel der Sommer des letzten Jahres ein, als ihr geliebter Bruder Claus, der sich hoffentlich gerade einen Sonnenbrand erster Klasse am Atlantik holte, eine Freundin gehabt hatte. Das Mädchen war wochenlang Thema Nummer eins gewesen und hatte Claus sogar dazu gebracht, Gedichte zu schreiben. Eines dieser Gedichte, deren Entwürfe Dags regelmäßig aus dem Papierkorb fischte, um sich darüber zu amüsieren, hatte den Titel *Jennifer, die Schöne* getragen.

Sie erinnerte sich gut an den Tag, an dem sie die schöne Jennifer vor einem Kino am Ku'damm beobachtet hatte, wo sie heftigst mit einem Typen herumknutschte, der nicht schlecht aussah, aber ganz und gar nicht wie

Claus. Auf dem Weg nach Hause hatte sie sich in dem erhebenden Bewusstsein gesonnt, dass ihr Bruder ihr zu lebenslanger Dankbarkeit verpflichtet sein würde, wenn sie ihm mitgeteilt hatte, dass die schöne Jennifer ein ganz schönes Früchtchen war.

»Sie betrügt dich!«, hatte sie Claus entgegengeschleudert, außer Atem, weil sie die ganze Strecke gerannt war. Er hatte an seinem Schreibtisch gesessen, zweifellos damit beschäftigt, ein neues Meisterwerk der Dichtkunst zu verfassen. »Ich hab's genau gesehen! Jennifer macht mit einem anderen Typen rum!«

Die Reaktion war nicht ganz so begeistert ausgefallen wie erwartet. Claus war ihr in ihr Zimmer nachgestürmt und hatte sie dort angeschrien, sie solle sich um ihren eigenen Dreck kümmern. Dann hatte er wutentbrannt ihre neu angelegte Kaktusplantage von der Fensterbank gefegt. Während Dags das Parkett von Scherben, Blumenerde und den misshandelten Stecklingen säuberte, hatte sie an den Gott sei Dank aus der Mode gekommenen Brauch aus der Antike gedacht, nach dem der Überbringer einer schlechten Nachricht getötet wurde. Und als kurz darauf das unterdrückte Schluchzen aus dem Zimmer ihres Bruders erklang, hatte sie sich geschworen zukünftig nur noch genau das zu tun, was Claus von ihr verlangt hatte: sich um ihren eigenen Dreck zu kümmern.

Und daran wirst du dich jetzt, verdammt noch mal, auch halten, Dagmar Kreuzer!

Als sie am Bahnhof Warschauer Straße ausgestiegen war und sich auf den Weg in die Boxhagener Straße machte, stand ihr Entschluss fest: Sie würde Guddie erzählen, dass Olaf aus dem Treptower Park direkt nach Hause gefahren war und sich später wieder bei ihnen melden wollte. Diese Lüge würde ihr schwerfallen, aber nur so würde sie Olaf nicht an den Karren fahren. Vielleicht hatte er sich vorgenommen, Guddie selbst die Wahrheit über sich zu erzählen. Falls das nicht der Fall war und er innerhalb der nächsten Tage nicht mehr auftauchte, konnte sie ihre Cousine immer noch darüber aufklären, woran es lag.

Zufrieden mit dieser Lösung ließ Dags sich von dem Strom der über die Warschauer Brücke eilenden Menschen mitziehen. Als sie über das Brückengeländer hinweg nach unten blickte, sah sie einen kaum mannshohen Baum. Er stand, umgeben von leeren Cola-Dosen und anderem achtlos aus den Fenstern der S-Bahn geworfenen Müll, vor einer roten Backsteinmauer am Rande des äußersten Schienenstranges. Vorbeifahrende Züge hatten seine in den Fahrtweg ragenden Äste beschädigt. Das Laub an den abgeknickten Zweigen war verdorrt. Es hing, müde in einem schwachen Luftzug flatternd, traurig herab, und plötzlich wünschte sich Dags, nie etwas von Olafs Geheimnis erfahren zu haben.

Eine Viertelstunde später waren Olaf und seine Probleme so gut wie vergessen. Dags trank einen Schluck von dem heißen Kakao, den Guddie für sie beide gekocht hatte, und fühlte, wie sich trotz ihrer Aufregung Hunger in ihrem Magen ausbreitete. Sie hatte Guddie nur das Notwendigste dessen erzählt, was im Treptower Park vorgefallen war. Jetzt saß sie im Schneidersitz neben ihrer Cousine auf dem Fußboden und betrachtete abwechselnd das Foto des Tors von Milet und den Zettel mit dem Zickzackmuster.

KEM 5018.

Drei aneinandergefügte, offene Dreiecke.

»Okay, Guddie«, sagte sie. »Erklär es mir ganz von vorne. Warum, zum Beispiel, steht das Muster auf dem Kopf?«

»Sieh dir den Zettel mal genauer an«, erwiderte Guddie. »Fällt dir was auf?«

Dags nahm das Stück Papier zur Hand und studierte es intensiv. Es dauerte eine Weile, bis sie erkannte, was Guddie meinte. KEM 5018 war mit einem etwas dünneren Stift zu Papier gebracht worden als das Zickzackmuster. »Okay. Und was hat das zu bedeuten?«

»Ich stelle mir das so vor«, sagte Guddie. »Wer auch immer KEM 5018 geschrieben hat, hat auch das Zickzackmuster gezeichnet. Aber inzwischen waren vielleicht ein paar Tage vergangen und der Zettel lag mittlerweile irgendwo anders. *Falsch herum!*«

Dags pfiff anerkennend durch die Zähne. »Klingt völlig einleuchtend. Aber warum bist du so sicher, dass es das Tor ist, auf das Griffith scharf ist?«

»Weil alles zusammenpasst.« Guddie stand auf, schwang sich auf die Fensterbank und schaukelte mit den Beinen. Das von außen einfallende Sonnenlicht ließ ihre blonden Haare glänzen. »Mir sind ein paar Sachen eingefallen. Und die meisten von ihnen haben mit Oleta Ferris zu tun.«

»Mit dem Model?« Dags setzte verblüfft ihre Tasse ab. Sie hatte, was die mögliche Bedeutung des Zickzackmusters betraf, so gut wie alles und jeden in Betracht gezogen. Aber nicht die Frau, die Mervyn Griffith heiraten wollte.

»Ja«, sagte Guddie. »Oleta Ferris. Erinnerst du dich daran, dass du gesagt hast, Griffith würde sie anbeten und alles für sie tun?«

Dags dachte an den Moment in der Suite des Kempinski, als der Modemacher seiner zukünftigen Frau das Collier umgelegt hatte. »Klar«, sagte sie. »Er würde sogar vom Brandenburger Tor runterpinkeln, wenn sie es von ihm verlangte.«

Guddie lachte, wurde aber sofort wieder ernst. »Also, bei Bernd Wörlitzer habe ich diese Fotos von ihr gesehen, auf denen sie an einer Säule lehnt. Und da war dieser seltsame Ausdruck auf ihrem Gesicht … Dags, sie war hin und weg von dem Ding! Wenn es ein größerer Bildausschnitt gewesen wäre, hätte ich gleich bemerkt, dass sie im Tor von Milet stand, aber das fiel mir erst heute auf.«

»Und?« Dags hörte konzentriert zu.

»Oleta Ferris ist reich, sie ist berühmt, sie ist es gewohnt, alles zu kriegen, was sie haben will. *Und jetzt verlangt sie von Griffith das Tor von Milet!* Als Hochzeitsgeschenk. Als Zeichen seiner Liebe.«

»Hmm …« Dags überlegte lange. »*Wenn* das so wäre«, sagte sie schließlich, »wenn sie das wirklich von ihm verlangt, dann wird er auch versuchen an das Tor ranzukommen, da bin ich sicher … Nehmen wir also mal an, du hast Recht. Wie geht es dann weiter?«

»Mit dem, was Bernd Wörlitzer erzählt hat«, sagte Guddie. »Vor ein paar Jahren wollte Griffith sich in Berlin niederlassen, aber der damalige Senat hat nicht mitgespielt. Doch kurz darauf waren Neuwahlen und der jetzige Senat denkt anders. Griffith wird angeboten, dass er nach Berlin kommen soll. Wahrscheinlich war es Röhricher, der in seiner Eigenschaft als Kultursenator den Kontakt aufgenommen hat. Aber Griffith lehnt ab …«

»… denn er hat inzwischen andere Pläne. Er knüpft eine Bedingung an das Geschäft.« Langsam begann Dags zu begreifen, worauf Guddie hinauswollte.

»Genau. Oleta Ferris ist total verrückt nach dem Tor von Milet. Griffith ist verrückt nach Oleta Ferris. Also bietet er Röhricher – und nur Röhricher, nicht dem Senat – einen Tausch an.«

»Wenn er das Tor von Milet kriegt, wird er Geld in eine neue Modeindustrie am Hausvogteiplatz investieren«, führte Dags den Gedankengang aufgeregt zu Ende. »So bringt Griffith Oleta Ferris den größten Liebesbeweis, den er sich vorstellen kann. Und Röhricher, der scharf auf den Ruhm ist …«

»… wird dafür berühmt, dass er Berlin zu dem macht, was es einmal gewesen ist: zu einem Weltzentrum in Sachen Mode.« Mit einem triumphierenden Grinsen sprang Guddie von der Fensterbank, setzte sich wieder neben Dags auf den Boden und sah sie erwartungsvoll an.

Dags dachte nach. Was Guddie gesagt hatte, passte tatsächlich alles zusammen. Sie konnte sich sehr gut vorstellen, wie Röhricher der Presse mitteilte, er habe nach langem Ringen und unter größtem persönlichem Einsatz Mervyn Griffith dazu bewegen können, Geld in Berlin zu investieren. Dennoch war sie skeptisch. Der Gedanke, irgendein Mensch könnte auf die verrückte Idee kommen, im Herzen einer Stadt ein Bauwerk aus einem Museum zu stehlen, erschien ihr mehr als abenteuerlich.

»Und all das nur, weil Griffith diese Frau liebt?«, äußerte sie ihre Zweifel.

»Ja. Weil er sie liebt.« Guddie räusperte sich. »Ich … ich würde auch alles dafür tun, dass mein Vater mich liebt«, fuhr sie leise fort. »Ich würde ihm die Siegessäule schenken, wenn er es wollte und ich es könnte.«

Es war das erste Mal, dass sie Dags gegenüber ihren Vater erwähnte, und das erste Mal, dass Dags sich fragte, wie sehr Guddie unter der Scheidung ihrer Eltern litt. Das Gefühl des Mitleids, das sie plötzlich für ihre Cousine empfand, kam völlig überraschend.

»Hör mal«, sagte sie schüchtern. »Was hältst du davon, wenn ich heute über Nacht hierbleibe? Ich meine, es ist doch bestimmt ziemlich blöde für dich, so allein in der Wohnung?«

»Das ist eine … eine nette Idee.« Guddie war bis unter die Haarwurzeln rot geworden. »Ich könnte uns was zu essen kochen, wir machen es uns richtig gemütlich und …« Sie führte den Satz nicht zu Ende, aber sie strahlte wie ein Weihnachtsbaum.

»Okay«, sagte Dags. »Dann lass uns zur nächsten Telefonzelle gehen. Ich sag meiner Mutter Bescheid, dass ich erst morgen früh nach Hause komme. Und dann müssen wir uns beeilen, wenn wir noch was einkaufen wollen.«

$$\wedge\!\!\!\wedge$$

Guddie rührte mit einem Holzlöffel die Bolognesesoße um, die in der Pfanne auf dem Herd schmurgelte, schmeckte sie ab und gab noch eine Prise Oregano dazu. »Am schwersten war es direkt nach dem Umzug«, sagte sie. »Als ich in die neue Schule kam. Irgendwie bin ich mit den Leuten nicht klargekommen.«

Dags saß am Küchentisch und versuchte zwei Servietten zu falten, die ihr immer wieder auseinanderfielen. »Mit den Lehrern oder mit den Schülern?«, fragte sie.

»Mit beiden nicht. Ich meine, sie waren ganz nett. Keiner hat so getan, als käme ich vom Mars oder so. Ich denke, wenn ich nicht von Anfang an so verschlossen gewesen wäre, hätten sie mich viel eher akzeptiert. Nach einer Weile haben sie es einfach aufgegeben.«

»Und jetzt?«

»Ist es viel besser.« Die Soße war fertig, die Spaghetti ebenfalls. Guddie schleppte den Topf zur Spüle, um die Nudeln abzuschütten. »Nicht unbedingt in der Schule, aber sonst schon«, fuhr sie fort. »Ich hab gelernt, dass man in Berlin zu Brötchen Schrippen sagt. Ich glaube, das war der Durchbruch.«

Dags lachte. Sie ließ die Servietten fallen, kam zur Spüle und fischte ein paar Spaghetti aus dem Sieb. »Gelobt sei die Köchin«, sagte sie. »Ich sterbe vor Hunger.«

»Dann wird aber nichts aus berühmt und unsterblich.«

»Eben. Also, her mit der Pasta!«

Guddie grinste, löffelte die Nudelsoße in eine Schüssel und stellte sie auf den Tisch. Sie hatte sich schon lange nicht mehr so wohl gefühlt. Wenn ihr vor ein paar Tagen jemand gesagt hätte, sie würde demnächst ihrer Cousine ihre geheimsten Gedanken anvertrauen, hätte sie diese Person für verrückt erklärt. Aber in der letzten halben Stunde hatte sie bereitwillig von der Scheidung ihrer Eltern erzählt und davon, wie sie sich seitdem fühlte.

»Insgesamt beschissen«, hatte Dags ihre Schilderung zusammengefasst und Guddie fand, dass sie damit den Nagel ziemlich genau auf den Kopf getroffen hatte.

Schade, dass Olaf nicht hier ist, dachte sie. Sie vermisste ihn. Sie vermisste ihn sogar sehr und war deswegen verwirrter, als sie bereit war sich selbst einzugestehen. Und vor Dags wollte sie es erst recht nicht zugeben. Seit Dags von den Ereignissen im Treptower Park berichtet und dabei eher beiläufig erwähnt hatte, Olaf sei anschließend direkt nach Hause gefahren, hatten sie nicht mehr über ihn gesprochen. Guddie hatte keine Ahnung, ob sich das Verhältnis zwischen den beiden gebessert hatte, und sie wollte Dags auch nicht danach fragen. Falls die zwei sich immer noch so wenig leiden mochten wie bisher, wollte sie die gute Stimmung nicht dadurch verderben, dass sie von Olaf schwärmte, während Dags über ihn lästerte.

»So, hier kommen die Nudeln.« Dags stellte zwei bis über den Rand mit Spaghetti gefüllte Teller auf den Tisch. »Und jetzt her mit der Soße, bevor Romeo zur Vollwaise wird.«

Die Geschwindigkeit, mit der sie in den nächsten Minuten die Spaghetti um ihre Gabel wickelte und dann in sich hineinschlang, erweckte den Eindruck, als ginge es ihr ums nackte Überleben. Guddie hatte die Hälfte ihrer ersten Portion noch nicht verspeist, als Dags ihren Teller schon mit der zweiten Ladung auffüllte.

»Köstlich«, bemerkte sie kauend. Dann hielt sie inne, als wäre ihr soeben etwas eingefallen. »Ich will dir ja nicht den Appetit verderben. Aber es gibt da noch eine Menge ungeklärter Fragen.«

»Schieß los«, sagte Guddie.

»Das Pergamonmuseum hat doch bestimmt so eine Art Verwaltung. Ich meine, es muss zum Beispiel einen Museumsdirektor und einen Kurator und so weiter geben. Und was die Politiker angeht: Da gibt es einen Bausenator, einen Senator für Stadtentwicklung und was weiß ich noch alles.« Sie wedelte mit ihrer Gabel herum, als wollte sie Löcher in die Luft stechen. »Womit ich sagen will, dass außer Griffith und Röhricher noch eine ganze Menge anderer Leute in die Sache verwickelt sein müssen.«

»Bestechung«, antwortete Guddie knapp. »Meine Mutter sagt immer, mit Geld könntest du alles kaufen, besonders Politiker.« Sie grinste und stippte den letzten Soßenrest auf ihrem Teller mit einem Stück Weißbrot auf.

»Aber das ist gefährlich«, wandte Dags ein. »Je mehr Leute bestochen werden, desto mehr von ihnen könnten später plappern. Wie wollen Griffith und Röhricher verhindern, dass das passiert, wenn rauskommt, dass das Tor geklaut worden ist?«

»Keine Ahnung«, musste Guddie zugeben. »Dann geht

es den Plappermäulern vielleicht wie dem Mann im hellgrauen Anzug.«

»Ja, vielleicht.« Dags wickelte nachdenklich eine Nudel um ihre Gabel. »Weiß der Geier, wie der Typ hinter die ganze Sache gekommen ist.«

»Er muss ziemlich clever sein«, sagte Guddie. »Er hat im Pergamonmuseum sofort erkannt, was Olaf und ich nicht rausgefunden haben: was geklaut werden soll. Vielleicht wusste er, dass er nach etwas Großem suchen musste, während Olaf und ich nach etwas Kleinem Ausschau hielten, das sich leicht transportieren lässt.«

»Was die nächste Frage aufwirft: Wie will Griffith das Tor aus dem Pergamonmuseum herausschaffen?«

Guddie zuckte die Achseln. »Na ja ... Irgendwie ist es ja auch mal ins Museum reingekommen. So schwer kann das also nicht sein.« Sie wischte sich den Mund mit einer Serviette ab. »Außerdem gibt es eine viel wichtigere Frage.«

»Und die wäre?«

»Wie wollen *wir* morgen Nacht in das Pergamonmuseum reinkommen?«

»Was?«, schnappte Dags ungläubig. Es schepperte, als ihre Gabel auf dem Teller landete. »Dir ist wohl die Luft auf dem Französischen Dom zu Kopf gestiegen!«

»Hör mir zu!« Guddie hob eine Hand. Sie hatte lange über dieses Problem nachgedacht und nicht vor, sich nun durch Einwände beirren zu lassen. »Du nimmst doch wohl nicht an, Röhricher und Griffith würden sich benehmen wie die letzten idiotischen Bankräuber? Die werden das Tor unter der Nase der Öffentlichkeit klauen und danach sonst was erzählen. Und du warst es doch, die gesagt hat, die Polizei würde uns nicht glauben. Wir brauchen handfeste Beweise, Dags! Also muss jemand sie beim Klauen beobachten, mit einer Kamera oder so was.«

»Aber –«

»Ab morgen ist das Museum für vier Wochen geschlossen!«, sagte Guddie mit Nachdruck. »Und für morgen Nacht um elf hat Röhricher das Zickzackmuster in seinen Terminkalender eingetragen! Das kann doch kein Zufall sein! Lass uns wenigstens mal beim Museum vorbeischauen!«

»Vorbeischauen ist gut! Wir müssen rein!«

»Sag ich doch.«

Dags überlegte lange und kniff dabei das braune Auge zu. »Kannst du mir mal erklären, warum du plötzlich so abenteuerlustig bist?«

Guddie dachte eine Weile nach. »Vielleicht bin ich gar nicht so ängstlich, wie es aussieht«, sagte sie endlich. »Es ist noch nicht so lange her, da war ich anders … Und ich hab die Nase davon voll, immer nur hier herumzusitzen und zu jammern. Ich will das Gefühl zurückhaben, dass ich lebendig bin. So wie früher.«

»Okay«, seufzte Dags. »Wie du meinst. Dann machen

wir uns also einen netten Samstagabend auf der Museumsinsel. Wie, das klären wir morgen.«

Damit war das Thema für diesen Abend beendet. Sie räumten das Geschirr vom Tisch, spülten ab und verbrachten die beiden nächsten Stunden im Wohnzimmer vor dem Fernseher. Guddie fand eine Tafel Schokolade im hintersten Winkel des Küchenschranks, die Dags in Sekundenschnelle verputzte, während sie eine Quizshow verfolgte. Sie konnte ohne langes Überlegen fast jede Frage beantworten.

»Vollidiot!«, schnaubte sie einmal, als einer der Kandidaten nicht wusste, wie der Entdecker der Teilchenstrahlung hieß. »Der hat bis heute garantiert gedacht, ein Teilchen wäre ein Stück Gebäck!«

Als sie zu Bett gingen, war es zehn Uhr.

»Du kannst bei mir schlafen, wenn du willst«, bot Guddie Dags an. »Oder im Bett meiner Mutter.«

»Und vorher sing ich dir ein Wiegenlied, oder was?« Dags grinste. »Klar schlafe ich bei dir!«

Guddie kramte einen Pyjama aus ihrem Schrank und fand eine unbenutzte Zahnbürste in einem Regal im Badezimmer. Fünf Minuten später öffnete sie ihr Zimmerfenster, knipste das Licht aus und krabbelte zu Dags ins Bett. Was für ein Tag, dachte sie. Was für ein Tag!

Für eine Weile lauschte sie dem entfernten Brummen des Straßenverkehrs und dem leisen Zwitschern eines Vogels, der draußen in einer der Pappeln herumsprang. Die durch das offene Fenster wehende Nachtluft bauschte die Vorhänge auf und versetzte die Blätter der auf dem Kleiderschrank stehenden Grünlilien in sanfte Bewegung.

»Übrigens, was ich dir noch sagen wollte«, murmelte Dags schläfrig neben ihr. »Wie du das alles rausgefunden hast, war ziemlich genial.«

»Danke«, gab Guddie zurück. Sie fühlte, wie ihr langsam die Augen zufielen, zog die Beine an und kuschelte sich an Dags. »Dann wissen wir jetzt wenigstens, welchem Zweig der Familie wir unsere Intelligenz zu verdanken haben.«

Kapitel 11
Darum bin ich hier

Olaf streckte sein Gesicht der Sonne entgegen, schloss die Augen und atmete tief die klare Morgenluft ein. Irgendwo in der Nähe musste eine Bäckerei sein, denn der Duft frisch gebackener Brötchen stieg ihm in die Nase. Er blinzelte, als ein helles Klingeln ertönte, und wich dem Fahrrad aus, das auf ihn zukam. Es wurde von einer jungen Frau gelenkt, die ihm im Vorbeifahren zuwinkte und ein Lächeln zuwarf.

Olaf lächelte zurück, bevor er sich wieder der gelben Fassade des Hauses zuwendete, in dem Bernd Wörlitzer wohnte. Die halbe Nacht hatte er wach gelegen und versucht nicht daran zu denken, dass am nächsten Morgen der Detektiv bei dem Fotografen auf der Matte stehen würde. Was kümmert es mich, hatte er sich gefragt. Wörlitzer würde wohl kaum auf die Idee kommen, dass der Junge, den der Detektiv ihm beschrieb, derselbe Junge war, der zwei Tage zuvor in seinem Atelier aufgetaucht war und sich nach einem Foto erkundigt hatte. Also, was kümmerte es ihn?

Eine ganze Menge, hatte Olaf entschieden, auch wenn

er sich eingestehen musste, dass es ihm dabei nicht in erster Linie um den Fotografen ging. Wörlitzer würde mit dem Detektiv schon fertig werden. Aber Olaf zweifelte keinen Augenblick daran, dass Guddie bereits von Dags erfahren hatte, was im Treptower Park vorgefallen war. Was wäre, wenn sie ihn fragte, was es damit auf sich hatte – konnte er sie dann anlügen? Er fühlte sich wie an Bord eines untergehenden Schiffes. Wenn er Guddie eine Lüge auftischte, hätte das möglicherweise denselben Effekt wie die Wahrheit.

Und er wollte Guddie nicht verlieren. Er mochte ihre Nähe. Er mochte die Art, wie sie sprach. Er liebte ihr Lachen, und wenn er an den Geruch ihrer Haare dachte, fühlte er ein Kribbeln bis in die Fingerspitzen. All das würde er verlieren, wenn er sich weiterhin in das Netz von Lügen verstrickte, dessen erste Fäden schon gesponnen waren. Es musste etwas passieren. Er musste mit jemandem reden.

Entschlossen ging er durch den Vorgarten und drückte auf den Klingelknopf unter dem Messingschild mit Wörlitzers Namen.

Warum tust du das?, fragte die Stimme in seinem Kopf. *Was willst du von diesem Typ?*

»Ich will …«, flüsterte er. Und stockte.

Du willst was?

Ihm fiel keine Antwort ein und das Summen des Öffners befreite ihn aus der Verlegenheit, weiter danach suchen zu müssen. Bis er im vierten Stock angekommen war, verdrängte er jeden weiteren Gedanken, indem er die nach oben führenden Treppenstufen zählte.

»Das ist ja eine nette Überraschung!« Der Fotograf stand in der Wohnungstür, unrasiert, barfuß, nur mit zerschlissenen Jeans und einem weißen T-Shirt bekleidet. Er lachte Olaf entgegen. »Komm rein. Hast du schon gefrühstückt?«

»Ja. Trotzdem danke.« Olaf folgte ihm in die sonnendurchflutete Küche, in der es nach frisch gebrühtem Kaffee duftete. Eine Wand war über und über mit bunten Postkarten tapeziert. Er schluckte, als er bemerkte, dass auf einigen von ihnen nackte Männer abgebildet waren.

»Bin gerade erst aufgestanden«, erklärte Wörlitzer unbefangen. »Ich hab mir Kaffee gemacht. Magst du auch einen?«

»Nein danke.« Er sah den dampfenden Wasserkessel auf dem Herd stehen. »Oder doch … Haben Sie vielleicht Tee?«

»Kein Problem. Sieh mal da in dem Regal nach.«

Während Wörlitzer eine Bechertasse aus dem Geschirrschrank nahm, fischte Olaf einen Teebeutel aus dem Regal. Als er ihn dem Fotografen reichte, fiel sein Blick auf den nur für eine Person gedeckten Tisch. »Wo ist Stefan?«, fragte er.

»Keine Ahnung. Er ist gestern Abend auf die Piste gegangen und noch nicht wieder aufgetaucht.« Wörlitzer grinste und hängte den Teebeutel in den Becher. »Setz dich doch. Wo ist *deine* Freundin?«

Olaf nahm an dem kleinen Tisch Platz und zuckte die Achseln. »Zu Hause, schätze ich, aber ... sie ist nicht meine Freundin.«

»Oh. Tut mir leid.«

»Warum sollte es Ihnen leidtun?«

»Nenn mich Bernd, okay?« Wörlitzer lehnte sich gegen den Herd und sah ihn an. »Na ja, ich hatte den Eindruck, dass ihr ein Pärchen seid.«

»Leider nicht.«

Verdammt, was erzählst du da?

»Okay.« Bernd nahm den Topf vom Herd. Er füllte den Becher mit dampfendem Wasser, stellte ihn vor Olaf ab und nahm ihm gegenüber Platz. »Ich schätze, das geht mich nichts an und deshalb bist du auch nicht hier, oder?«

Olaf schüttelte stumm den Kopf.

»Geht es um das Foto von der Modenschau? Oder ...« Bernds schwarze Augen verengten sich. »Geht es um Griffith?«

»Nein.« Olaf hatte nicht vor, Griffith zu erwähnen. Er umklammerte den Becher und hielt die Augen auf das bunt gemusterte Tischtuch gerichtet. Er musste endlich damit rausrücken, warum er hier aufgekreuzt war, aber sein Kopf war wie leer gefegt. Warum bekam er bloß die Klappe nicht auf?

Er wusste, dass er jemanden brauchte, der ihn verstand.

Und wenn es jemanden gab, der ihn verstehen konnte, dann war es Bernd Wörlitzer. Olaf hatte keine Ahnung, wie sich ein Mann fühlte, der von vielen dafür verachtet wurde, dass er andere Männer liebte. Aber wenn er an die Sprüche und die dreckigen Witze dachte, die in seiner Schule kursierten, war es garantiert kein Zuckerschlecken. Wörlitzer würde nachempfinden können, was es bedeutete, sich anders als andere zu fühlen.

Ja, dachte Olaf. Darum bin ich hier.

»Hierherzukommen ist dir sicher nicht leichtgefallen«, sagte Bernd, als hätte er seine Gedanken gelesen. »Oder?«

»Na ja …«

Bernd nickte, als wäre das Antwort genug. Er griff nach einer Scheibe Toast, die er mit Butter bestrich. »Für einen Jungen in deinem Alter hat es etwas Bedrohliches, wenn er schwulen Männern begegnet. Wahrscheinlich kennst du die schwachsinnigen Geschichten vom bösen Onkel, der nur darauf scharf ist, dich in die Büsche zu locken. Wenn es um Schwule geht, denken die Leute an alles Mögliche. Nur nicht daran, dass es ganz normal ist, wenn Männer sich lieben.«

»Ich weiß.«

Guddie hatte genau dasselbe gesagt.

Bernd biss in den Toast und sprach kauend weiter. »Und es gäbe noch eine Menge dazu zu sagen, aber ich schätze, auch deshalb bist du nicht hergekommen. Richtig?«

Olaf nickte zögernd.

»Gut.« Bernd grinste ihn an, bevor er den Rest des Toasts in seinem Mund verschwinden ließ, und seufzte. »Dann wirst du langsam damit herausrücken müssen. Mir fällt nämlich kein Grund mehr ein.«

Olaf schloss die Augen. Wenn er jetzt zu sprechen begann, gab es kein Zurück. Wenn er Bernd von dem bevorstehenden Besuch des Detektivs erzählte, würde er auch die Ursache für diesen Besuch erklären müssen. Irgendwo, weit hinten in seinem Kopf, schrie die Stimme empört auf und bettelte darum, er solle es bleibenlassen.

Er dachte an Guddie.

Als er die Augen wieder öffnete, begegnete er Bernd Wörlitzers interessiertem, offenem Blick. »Ich klaue«, begann er und ein seltsames, fast schwindelerregendes Gefühl von Erleichterung stieg in ihm auf. »Ich meine, ich klaue, obwohl ich es eigentlich gar nicht will. Da ist …«

»Da ist was?«, fragte Bernd leise.

»Diese Stimme in meinem Kopf. Ich weiß, das klingt ziemlich bekloppt«, fügte er schnell hinzu. »Aber ich kann es nicht besser ausdrücken. Sie ist immer da, wenn ich klaue. Meistens schon vorher. Als ob ein Teil von mir das Stehlen gut findet und es richtig *will,* weißt du?«

»Klingt ganz nach einem psychologischen Problem.« Bernd fuhr sich mit einer Hand über das stoppelige Kinn. »Krankhaftes Stehlen … das ist nichts Ungewöhnliches, Olaf. Es gibt eine Menge Leute, die darunter leiden, wahrscheinlich mehr, als du glauben würdest. Man nennt das —«

»Ich will nicht wissen, wie man es nennt!«, erwiderte Olaf heftig, selbst überrascht davon, wie aggressiv seine Worte klangen. »Tut mir leid«, murmelte er rasch.

»Ist schon in Ordnung.« Bernd zwinkerte ihm zu, stand auf und holte sich eine weitere Tasse Kaffee. »Ist ein mieses Gefühl, das du mit dir rumschleppst, oder?«

»Mhm.« Es war zum Heulen. Bernd Wörlitzer war der erste Mensch, dem Olaf vertraute. Derselbe Mensch, dem er den Detektiv auf den Hals gehetzt hatte. Er sah auf seine Uhr. Es war Viertel vor zehn.

Ist dem Herrn Fotografen zehn Uhr recht?

»Das war noch nicht alles«, sagte er zögernd. Bernd drehte sich um und sah ihn an, als habe er erwartet, dass noch etwas kam. »Es gibt einen Mann, einen Kaufhausdetektiv …«

〰〰

»Dagmar?«, tönte Frau Kreuzers Stimme aus dem Flur. »Ich hol jetzt den Wagen ab. Aus der Werkstatt.«

»Ja, ist gut.«

»Im Kühlschrank steht noch Kuchen.«

»Ja, ja.«

»Also, ich bin dann jetzt weg.«

»Ja, ja, ja, in Gottes Namen, ja!«

Endlich fiel draußen die Tür ins Schloss. Seufzend,

ihren linken Turnschuh in einer Hand, robbte Dags rückwärts unter ihrem Bett hervor. Der rechte Schuh war einfach nicht zu finden. Irgendwann würde sie das staubige Durcheinander, das sich im Lauf der Zeit unter der Matratze angesammelt hatte, entrümpeln. Irgendwann würde sie auch ihr Zimmer aufräumen. Irgendwann würde sie eine Menge tun, falls sie die kommende Nacht überlebte.

Als sie sich aufrichtete, knallte sie mit dem Kopf gegen die Bettkante. »Lach nicht!«, blaffte sie Romeo an. Verärgert tastete sie nach der Beule, die unter ihren Locken zu wachsen begann.

Romeo thronte, mit halb geschlossenen Augen und angelegten Ohren, auf dem Rand des Kleiderschranks. Nur der unruhig auf und ab peitschende Schwanz verriet, dass er Dags und jede der Bewegungen aufmerksam beobachtete. Einer plötzlichen Eingebung folgend hob sie ihn von seinem Aussichtspunkt herunter und hielt ihm den Turnschuh unter die Nase.

»Schuh«, sagte sie. »Das ist ein Schuh, du Herzchen! Und wenn du dein Futter für die nächsten Tage verdienen willst, suchst du jetzt gefälligst den anderen Schuh!«

Sie küsste Romeo auf die Schnauze, setzte ihn zu Boden und sah zu, wie er über das Parkett und durch die offen stehende Zimmertür zielstrebig hinaus in die Diele trippelte. Wenn weder Claus noch ihre Eltern zu Hause waren, ließ sie Romeo frei in der Wohnung herumlaufen. Ihre Mutter würde Zeter und Mordio schreien, wenn sie das wüsste, weil sie befürchtete, die Ratte könne lebenswichtige Stromleitungen anfressen und damit den gesamten Kreuzer-Haushalt lahmlegen. Was für ein Quatsch!

Aber es geschähe ihr recht. Dann würde sie sich um mich kümmern, mich bekochen und über den verpatzten Urlaub hinwegtrösten, anstatt der blöden Karre nachzurennen!

Dags ließ den Turnschuh achtlos fallen. In Wirklichkeit war sie froh, dass ihre Mutter nicht mehr da war und ihr nachschnüffeln konnte. Innerhalb von fünf Minuten packte sie alles in ihre Sporttasche, was sie für den nächtlichen Museumsbesuch für notwendig hielt: dunkle Klamotten, eine Taschenlampe, den neuen, angeblich völlig geräuschlosen Fotoapparat ihres Vaters, das dazugehörige Teleobjektiv sowie einen besonders hochempfindlichen Film. Der Film hatte sie einen guten Teil ihres Taschengelds gekostet, aber sie wollte kein Blitzlicht benutzen, wenn sie fotografierte.

Was auch immer das sein würde.

Und wo auch immer das sein würde.

Als sie fertig gepackt hatte, ging sie zum Schreibtisch und kramte die Reste einer Tafel Schokolade aus der obersten Schublade. Nachdenklich brach sie einen Riegel davon ab und schob ihn sich in den Mund. Das Problem, das Guddie gestern angesprochen hatte, war immer noch ungelöst: Wie sollten sie in das Pergamonmuseum kommen? Wenn das Tor von Milet tatsächlich schon in der kommenden Nacht gestohlen werden sollte, würden

Röhricher und Griffith sicher dafür sorgen, dass keine unbefugten Personen das Gebäude betreten konnten.

Also, wie kommen wir rein?

Wenn es überhaupt Hoffnung auf einen entsprechenden Hinweis gab, lag er in den Aufzeichnungen dieses Architekten, Ludwig Hoffmann. Sie betrachtete das vor ihr auf dem Schreibtisch liegende alte Buch, das Guddie aus lauter Angst, es könne auseinanderfallen, praktisch nicht angerührt hatte. Dags hatte weniger Hemmungen und es nach ihrem gemeinsamen Frühstück mit nach Hause genommen.

Ah, das Frühstück ... Guddie und sie hatten so viel gelacht, sich so vieles erzählt, als würden sie sich schon eine Ewigkeit kennen. Sie hatte die Boxhagener Straße mit dem Gefühl verlassen, eine neue Freundin gewonnen zu haben. Eine gute Freundin, und vielleicht war das einen verloren gegangenen Urlaub wert.

Sie griff nach dem Buch, ging damit zum Bett und ließ sich auf die Matratze plumpsen. Das Telefon klingelte, als sie es sich gerade bequem gemacht und die erste Seite aufgeschlagen hatte.

»Rutscht mir den Buckel runter«, murmelte sie.

Nach dem sechsten Klingeln schlug sie entnervt das Buch zu, schob sich vom Bett und lief in die Diele.

»Ja?«, rief sie atemlos in den Hörer.

»Hier ist Olaf.«

»Oh ... Eh, gut, dass du anrufst!«

Ganz schön mutig! Sie hatte nicht damit gerechnet, dass er sich so schnell melden würde. Sie erzählte ihm von Guddies Entdeckung der Bedeutung des Zickzackmusters, dem Plan für die kommende Nacht und von ihrem Versuch, in Ludwig Hoffmanns Buch nach einem Hinweis auf einen Weg ins Pergamonmuseum zu suchen. Und während die Worte aus ihr heraussprudelten, überlegte sie fieberhaft, wie sie auf Olafs Anruf reagieren sollte.

»Hey, das ist … echt toll!«, sagte er, als sie fertig war. Aus seiner Stimme klang vorsichtige Zurückhaltung.

Dags versuchte sich in seine Lage zu versetzen. Sie konnte sich gut vorstellen, wie er am anderen Ende der Leitung zappelte, weil er nicht wusste, ob sie ihm auf die Schliche gekommen war oder nicht. Und es bestand kein Grund, ihn länger auf die Folter zu spannen.

»Olaf?«, sagte sie.

»Ja?«

»Wegen gestern im Park … Mach dir keine Sorgen. Ich meine, ich hab alles rausgefunden und, na ja … Ich halte zwar nicht viel von Diebstahl, aber ich denke, das ist auch nicht der Weltuntergang. Ich hab Guddie auch nichts davon erzählt.«

Der völligen Stille am anderen Ende der Leitung nach zu schließen hatte Olaf die Luft angehalten. »Bist du noch dran?«, fragte sie nach einer längeren Pause.

»Ja. Ich kann das alles erklären, Dags.«

»Erkläre es Guddie«, unterbrach sie ihn. »Oder erkläre es uns gemeinsam, ganz wie du Lust hast. Wir treffen uns gegen fünf Uhr bei ihr, um alles wegen heute Nacht zu besprechen. Können wir auf dich zählen?«

»Klar, sicher! Um fünf. Und … Dags?«

»Hmm?«

»Danke. Dafür, dass du Guddie nichts gesagt hast.«

»Ist schon okay.«

»Du bist echt in Ordnung.«

Was krieg ich dafür?, dachte sie, als sie aufgelegt hatte. Ein Verdienstkreuz vom Papst?

Hinter ihr ertönte ein Scharren. Sie drehte sich um und unterdrückte nur mit Mühe einen Schrei. Romeo zerrte unter erheblichem Kraftaufwand etwas durch den Flur, das entfernt an eine tote Katze erinnerte. Dann bemerkte sie den Schnürsenkel, der aus seiner Schnauze hing, und erkannte erleichtert ihren rechten Turnschuh.

»Erstaunlich«, murmelte sie. »Sieht so aus, als wärst du wirklich lernfähig. Ich frage mich nur, ob wir das deiner Intelligenz zu verdanken haben oder ob du das Ding nur deshalb gefunden hast, weil es so stinkt.«

Romeo ließ den Schnürsenkel los, setzte sich auf und fuhr sich mit den Vorderpfoten über die Barthaare. Dann sah er Dags eindringlich an, fiepte kurz und wiegte sich enthusiastisch hin und her.

»Schon gut! Krieg dich wieder ein.« Sie hob den Schuh auf, schlappte zurück in ihr Zimmer und warf dem aufgeregt herumtänzelnden Romeo zwei Cracker zu. Während er das Gebäck in kleine Krümel zerlegte, dachte sie an den Schrecken, der sie erfasst hatte, als sie vor einer Stunde nach Hause gekommen war. Ihre Mutter hatte vergessen Romeo während ihrer Abwesenheit mit Wasser zu versorgen. Absolut unmöglich! Es würde sie nicht wundern, wenn er als Nächstes im Staubsauger verschwand.

»Heute Nacht kommst du mit, du Herzchen«, flüsterte sie. Sie hob Romeo hoch und setzte ihn zurück auf den Kleiderschrank. »Und wenn Olaf und Guddie sich auf den Kopf stellen!« Zufrieden mit ihrem Entschluss warf sie sich auf ihr Bett und griff erneut nach dem Buch. Sie übersprang die Einleitung, kämpfte sich durch den in Fraktur gedruckten Text mit seinem altertümlichen Satzbau und war schon nach wenigen Minuten völlig gefesselt.

Dieser Ludwig Hoffmann hatte gewusst, wie man Architektur spannend beschreibt. Ein ganzes Kapitel war den Schwierigkeiten gewidmet, mit denen die Erbauer des Museums vor Beginn der ersten Bauphase konfrontiert worden waren. Unerwartete Schwierigkeiten, denen man mit ungewöhnlichen Mitteln begegnet war …

Nachdem Dags das ganze Kapitel durchgelesen hatte, legte sie das Buch zur Seite und widmete sich Hoffmanns handgeschriebenen, schwer zu entziffernden Aufzeichnungen. Dann nahm sie sich die Grundrisszeichnung vor. Sie faltete das vergilbte Papier vorsichtig auseinander, las die letzten Seiten von Hoffmanns Notizen noch einmal und verglich den Text dabei mit der Zeichnung. Anschließend ging sie in den Flur, um zu telefonieren.

»Volltreffer!«, murmelte sie zufrieden, als sie zurückkam. Von seinem Aussichtspunkt auf dem Kleiderschrank gab Romeo ein zustimmendes Fiepen von sich. Über Dags klimperte das Mobile aus Teddybären, als ein Windstoß durch das offene Fenster fuhr, und sie fröstelte.

$$\wedge\!\!\wedge\!\!\wedge$$

Olaf ließ erleichtert den Hörer auf die Gabel sinken. Er hätte Dags in die Arme nehmen, sie herumwirbeln und küssen können. Guddie wusste von nichts und damit hatte er die Chance, ihr alles zu erklären! Das war ihm wichtiger als der bevorstehende Diebstahl des Tores, von dem Dags erzählt hatte. Wichtiger als alles andere.

»Sie wird dich schon nicht hängenlassen«, hatte Bernd Wörlitzer gesagt. »Nicht, wenn du ihr alles so erzählst, wie du es mir erzählt hast. Hey, Olaf! Kopf hoch!«

Bernd … Meine Güte, dieser Typ mit dem Killerlächeln war wirklich total in Ordnung! Über die Sache mit der Visitenkarte und den bevorstehenden Besuch des Detektivs hatte er nur gelacht. Was das Klauen anging …

»Ich schätze, da gibt es Leute, die dir helfen können«, hatte er gesagt. »Wenn du willst, höre ich mich mal um.«

Olaf hatte das Angebot angenommen.

Ein Klackern ertönte, als seine Mutter auf hochhackigen Schuhen über den Marmorboden der großen Eingangshalle auf ihn zukam. Der Boden verdoppelte ihre schlanke Figur spiegelverkehrt. Ihr Gesicht war eine undurchschaubare Maske … Wie immer. Olaf hatte es nie anders gekannt.

»Wen hast du angerufen?«, fragte sie.

»Eine Freundin. Ich muss gleich weg.«

»Ohhlaff.«

Wie er diesen Tonfall hasste, der Vorwurf und Verzeihung zugleich umfasste! Irgendwo in ihrer Stimme schwang mit, was seine Mutter ihm sonst nie zeigte: ihr schlechtes Gewissen, ihr Vorwurf an sich selbst, nicht mit ihm umgehen zu können. Er konnte sich nicht daran erinnern, wann ihm zum ersten Mal aufgefallen war, dass die Gefühle seiner Mutter sich nur über ihre Stimme mitteilten.

»Du weißt doch, dass um drei die Schaffhofers zum Tee kommen.« Sie entfernte einen Fussel vom Ärmel ihrer blauen Bluse. »Ich gehe fest davon aus, dass du ein wenig auf dem Klavier spielen wirst. Sibylle hat erst kürzlich gesagt −«

»Wenn die Schaffhofer das Geklimper so gerne hört, soll sie doch selber Klavier spielen lernen. Zeit genug dazu hat sie ja.«

Das Gesicht seiner Mutter blieb unbewegt. Es war ihm bisher noch nie gelungen, sie aus der Reserve zu locken, weder durch Schreien noch durch Ausfälligkeiten. Nicht einmal mit Weinen. Manchmal spielte er mit dem Gedanken, ihr alles über seine Diebstähle zu erzählen. Das würde sie bestimmt erschüttern.

Und als Nächstes findest du dich in einem Internat wieder, wo du dich mit Schleimern rumschlagen musst, die eines Tages genauso sein werden wie Papa.

»Geklimper ist wohl der passende Ausdruck«, sagte seine Mutter. »Du warst gestern wieder nicht beim Unterricht. Herr Wendlandt hat eine Stunde lang auf dich gewartet.«

»Dann hat er sein Geld ja wohl gekriegt. Ich hasse dieses beschissene Klavier!« So war es immer. Ganz gleich um was es ging, es führte zu Streit.

»Wenn dein Vater das nächste Mal zu Hause ist …«

Und wann wird das sein? In einer Woche? In einem Monat? Dann, wenn er mir das nächste Mal Geld in die Hand drückt, damit ich ihn nicht nerve?

»… werde ich mit ihm darüber sprechen.«

»Den interessieren meine Klavierstunden doch nur, weil er sie von der Steuer absetzen kann.«

Das entsprach vielleicht nicht ganz der Wahrheit, aber es kam zumindest nahe genug heran. Manchmal wunderte Olaf sich darüber, dass sein Vater sich überhaupt an seinen Namen erinnerte.

»Deine Undankbarkeit ist mir völlig unverständlich.« Die Stimme seiner Mutter war nur noch ein Flüstern.

»Dein Vater arbeitet sehr hart, damit wir – und das schließt dich ein – uns ein solides Leben leisten können. Es wird langsam Zeit, dass du das begreifst.«

Olaf hatte schon vor einiger Zeit etwas viel Wichtigeres begriffen. Es stimmte, sein Vater rackerte sich in seinem Beruf als Vorsitzender einer Bank und weiß Gott wie vieler Aufsichtsräte ab. Aber das *solide Leben,* das dabei für sie alle heraussprang, war nur ein zufälliger Nebeneffekt. Günther Nienburg lebte nur für seine Arbeit. Seine Frau lebte für ihren Mann und für das riesige Haus mit seinen acht kalten Zimmern, das sie für die Gelegenheiten pflegte, bei denen Geschäftspartner ihres Gatten zum Essen kamen. Und Olaf selbst … Er selbst fühlte sich manchmal, als wäre er im Leben seiner Eltern nichts weiter als ein Störfaktor, ein Abfallprodukt ihrer Ehe.

»Ich hab einfach keine Lust zum Klavierspielen«, sagte er schwach.

»Das Leben orientiert sich nicht daran, ob man zu etwas Lust hat oder nicht.« Seine Mutter straffte die Schultern. »Nun, wie auch immer, ich möchte nicht, dass du heute das Haus verlässt.«

»Dann sperr mich doch ein! Gib mir Hausarrest!«

Olaf fühlte einen Kloß in seinem Hals und biss sich auf die Unterlippe. Natürlich würde sie nichts dergleichen tun. Sie sah ihn nur an, aus ihren schönen, ausdruckslosen grünen Augen, und als sie sprach, hatte ihre Stimme den Klang geschärften Metalls angenommen.

»Ich hoffe, Olaf, du wirst irgendwann lernen, dass man es mit Impertinenz im Leben nicht weit bringt.«

Olaf sagte nichts mehr. Er sah so lange über die Schulter seiner Mutter hinweg, durch das Bogenfenster hinaus in den weitläufigen, sonnigen Garten, bis sie sich mit einem kaum hörbaren Seufzer umdrehte und ging. An der Flügeltür zum Esszimmer blieb sie stehen und richtete ein paar blassweiße Lilien, die in einer Bodenvase standen.

Es zu etwas bringen … Olaf schüttelte unwillig den Kopf. Die Hauptsache war, dass er es bis zu Guddie brachte. Und was auch immer *Impertinenz* in diesem Zusammenhang bedeutete, es war ihm völlig schnuppe.

Kapitel 12

Hoffmanns Erzählungen

Als es klingelte, hatte Guddie gerade das letzte der drei auf der Anrichte stehenden Gläser mit Orangensaft gefüllt. Sie lief hinaus in den Flur und öffnete die Tür.

»Da bin ich.« Olaf hatte beide Hände in den Taschen seiner Jeans versenkt und lächelte sie an. Wie üblich waren seine braunen Haare zerzaust, als ob er durch einen Sturm gelaufen wäre. »Punkt fünf Uhr. Ist Dags schon da?«

Guddie nickte und hoffte, dass das Treppenhaus dunkel genug war, ihre Verlegenheit zu verbergen. Dags hatte ihr von Olafs Anruf erzählt. Seitdem hatte sie vor lauter Vorfreude auf das bevorstehende Wiedersehen kaum noch stillsitzen können. Allerdings hatte sie nicht erwartet, dass ihr bei Olafs Auftauchen buchstäblich die Luft wegbleiben würde – als wäre nicht er, sondern sie selbst gerade die Treppen in den vierten Stock hinaufgelaufen.

Okay, keine Ausflüchte mehr, mich hat's erwischt!

Und was war schon dabei, das vor sich selbst zuzugeben? Guddie räusperte sich unbeholfen. »Komm doch rein. Dags ist im Wohnzimmer. Wegen heute Abend weißt du Bescheid?«

»Wir gehen ins Pergamonmuseum, oder?«

»Ja. Dags hat irgendwas im Buch von diesem Architekten entdeckt, aber sie macht ein mordsmäßiges Geheimnis draus.«

»Klingt spannend.« Olaf schloss die Tür hinter sich und folgte ihr in die Küche. »Wie geht's deiner Mutter?«

»Viel besser.« Guddie drückte ihm zwei der Gläser in die Hand.

Das dritte nahm sie selbst. »Ich hab sie heute Mittag besucht. Wenn sie Glück hat, kommt sie schon nächsten Mittwoch oder Donnerstag wieder aus dem Krankenhaus.« Bis sie ihn aus der Küche hinaus- und durch den Flur gelotst hatte, war sie endlich wieder einigermaßen gefasst.

»Und, freust du dich?«, fragte Olaf.

»Ja.« Sie öffnete die Tür zum Wohnzimmer. »Und wie!«

Dags hockte auf dem Boden, völlig vertieft in den vor ihr ausgebreiteten Grundriss des Pergamonmuseums, umgeben von mindestens zehn aufgeschlagenen Büchern. Nur Ludwig Hoffmanns handschriftliche Notizen hatte sie zu einem ordentlichen kleinen Stapel zusammengelegt. »Hallo, Olaf«, sagte sie, ohne aufzusehen.

All das passt zu ihr, dachte Guddie. Dags war so offensichtlich in ihrem Element, dass sie ihr plötzlich als Inbegriff der Forscherin erschien, die sich in einer dämmerigen, leicht verstaubten und mit meterhohen Regalen gefüllten Bibliothek wie zu Hause fühlte. Nur Romeo, der wie eine Galionsfigur auf ihrer Schulter thronte, fiel etwas aus dem Rahmen.

»Kommt die Ratte mit?«, fragte Olaf misstrauisch.

Dags hob den Kopf und maß ihn mit einem Blick, der Guddie befürchten ließ, die beiden würden sofort in einen größeren Streit ausbrechen. Zu ihrer Überraschung geschah jedoch nichts dergleichen.

»Ich hab erzählt, ich würde bei Guddie übernachten«, sagte Dags, ohne auf Olafs Frage einzugehen. »Was haben deine Eltern dazu gesagt, dass du heute Nacht unterwegs bist?«

»Hab sie nicht gefragt«, antwortete Olaf knapp. Er stellte die Gläser auf dem niedrigen Tisch vor dem Sofa ab, bemüht, sowohl Guddie als auch Dags nicht anzusehen.

Guddie fragte sich, ob er sich tatsächlich einfach über seine Eltern hinweggesetzt hatte und wer seine Eltern, von denen er nie erzählte, überhaupt waren. Sie setzte sich auf das von Grünpflanzen eingerahmte Sofa. Olaf nahm so dicht neben ihr Platz, dass ihre Beine sich berührten. Das mochte bloßer Zufall sein, doch ihr Herz klopfte trotzdem schneller. Sie versuchte seine Nähe zu ignorieren und konzentrierte sich auf Dags. »Also, was hast du herausgefunden?«, fragte sie.

»Eine Menge«, sagte Dags. Sie kniete sich ihnen gegenüber hinter den Tisch, breitete den vergilbten Grundriss des Pergamonmuseums darauf aus und beschwerte ihn mit Ludwig Hoffmanns Buch. »Dieses Buch wurde 1931 herausgegeben, ein Jahr vor Hoffmanns Tod. Es ist die von ihm verfasste offizielle Version über den Bau des Pergamonmuseums auf der Museumsinsel. Aber was ich euch jetzt erzählen werde, ist eine längere Geschichte, die eigentlich schon vor dem Bau des Museums beginnt. Und sie ist verdammt interessant.«

»Also, schieß los«, sagte Olaf.

»Die Entwurfszeichnungen für das Museum waren schon 1907 fertig«, fing Dags an. »Doch mit dem Bau wurde erst drei Jahre später begonnen. Auf dem geplanten Baugelände standen noch andere Gebäude, in denen Kunstwerke zwischengelagert worden waren. Die mussten erst mal abgerissen werden. Dann funkte die Stadtverwaltung dazwischen und verzögerte den Baubeginn und 1909 starb der eigentliche Architekt des Museums. Alfred Messel hieß der gute Mann. Neuer Architekt wurde Messels früherer Studienkollege und guter Freund Ludwig Hoffmann. Und jetzt wird es für uns interessant. Zum Entsetzen einiger städtischer Beamter veränderte Hoffmann nämlich Messels Baupläne. Er wollte das Museum moderner gestalten. Es gab jede Menge Ärger.«

Dags trank einen Schluck von ihrem Orangensaft, ehe

sie weitersprach. »Wie auch immer, 1910 wurde endlich mit dem Bau begonnen, wenn auch nicht gerade im Eiltempo.«

Guddie und Olaf beugten sich vor, als sie mit einer Hand den Grundriss des Pergamonmuseums nachzeichnete. »Wie ihr seht, hat das Museum die Form eines eckigen Hufeisens. Hier haben wir den Nordflügel, rechts den Südflügel. Beide werden an ihren oberen Enden durch den Mittelflügel verbunden.« Ihre Hand verharrte auf dem Nordflügel. »Als man hier mit dem Bau begann, wurde zunächst der Boden auf seine Tragfähigkeit untersucht. Und bei den Probebohrungen stieß man auf ein Problem.«

»Was für ein Problem?«, fragte Guddie.

»Der Boden war relativ weich und sumpfig und an einem Teil der Stelle, wo der Nordflügel errichtet werden sollte … na ja … da war er praktisch gar nicht vorhanden.«

»Was soll das heißen, nicht vorhanden?«, fragte Olaf, der bisher nur konzentriert zugehört hatte. »Dass da ein Loch oder so was war?«

»Kein Loch«, sagte Dags. Ihre Augen blitzten. »Sondern der Beginn einer Bodenspalte aus der Eiszeit. Über zweihundert Meter lang und stellenweise bis zu fünfzig Meter tief. Eine richtige Schlucht!«

Guddie rutschte gebannt auf dem Sofa nach vorn. Olaf pfiff leise durch die Zähne.

»Man nannte diese Bodenspalte, die früher völlig mit Eis ausgefüllt gewesen sein musste, den Kolk«, fuhr Dags fort. »Der Kolk begann unter der Hofinnenseite des Nordflügels und erstreckte sich bis fast unter den gesamten Südflügel. Und zwar«, sie zeigte auf einen rechteckigen Kasten, der rechts neben dem Pergamonmuseum lag, »bis hierher, unter das Neue Museum.«

»Da werden zurzeit Bauarbeiten durchgeführt.« Guddie erinnerte sich an die Baugerüste, die Kräne und die Betonmischmaschinen, die ihr aufgefallen waren, als sie am Mittwoch den Mann im hellgrauen Anzug verfolgt hatte.

Dags nickte. »Als am Ende der Eiszeit das Eis im Kolk geschmolzen war, hat sich die Bodenspalte mit nachrutschenden Erdmassen gefüllt. Dieser Untergrund war viel zu weich, um darauf ein Gebäude zu errichten. Während also am Nord- und Mittelflügel des Pergamonmuseums schon eifrig gebaut wurde, musste der Boden, auf den der Südflügel gesetzt werden sollte, erst befestigt werden. Und das dauerte Jahre.«

»Wie hat man das gemacht?«, wollte Olaf wissen. »Das muss doch tierisch aufwendig gewesen sein.«

»War es auch«, erwiderte Dags. »Die bauten nämlich ein Gewölbe aus Eisenbeton über den Kolk!«

»Und wie sah das aus?« Guddie nippte an ihrem Glas. Inzwischen war sie von Dags' Aussagen so sehr gefesselt, dass sie Olaf neben sich kaum noch wahrnahm.

»Zuerst wurde die Schlucht mit Sand aufgefüllt«, erklärte Dags. »Hunderte, wenn nicht Tausende von langen Holzstämmen wurden in den Boden gerammt, um das Betongewölbe zu stützen, das die Schlucht, also den Kolk, abdecken sollte.«

»Ein Wahnsinnsprojekt!«, sagte Olaf. Er lächelte unsicher, als habe er einen wesentlichen Teil der Erzählung verpasst. »Aber was hat das jetzt alles mit uns und mit dem Weg ins Pergamonmuseum zu tun?«

»Eine ganze Menge.« Dags hob Hoffmanns Notizen hoch und grinste. »Meine Damen und Herren, wir verlassen jetzt den Bereich der offiziellen Geschichtsschreibung! Diesen Zetteln hat Ludwig Hoffmann all das anvertraut, was er in sein Buch nicht aufnehmen konnte. Aus verständlichen Gründen, wie ihr gleich merken werdet.«

»Was steht da drin?«, fragte Olaf neugierig.

Dags gab sich Mühe, ein triumphierendes Grinsen zu unterdrücken, was ihr jedoch nicht ganz gelang. »Darin steht, dass durch den Kolk ein unterirdischer Gang vom Neuen Museum bis zum Pergamonmuseum führt.«

»Was?«, schnappte Guddie.

»Ein unterirdischer Gang?«, flüsterte Olaf. »Wofür denn?«

»Gute Frage«, sagte Dags, »denn ursprünglich war ein solcher Gang nie geplant gewesen. Doch als die Bauarbeiten gerade auf Hochtouren liefen und das Betongewölbe über dem Kolk nahezu fertig war, brach der Erste Weltkrieg aus. Und was hat unser guter Ludwig Hoffmann im Kopf?«

Guddie und Olaf zuckten gleichzeitig die Achseln.

»Die Kunstschätze! All die wertvollen Statuen und Vasen, den ganzen antiken Nippes, den die Franzosen oder Russen einsacken würden, falls sie das Deutsche Reich überfielen! Und wo konnte man das Zeug am besten verstecken?«

»Klar!«, flüsterte Olaf. »Unter der Erde.«

»Unter der Erde!«, wiederholte Dags. »Also lässt Hoffmann sich diesen Gang einfallen. Er lässt ihn unter der Kolkabdeckung graben und abstützen, ohne die zuständige Baubehörde davon in Kenntnis zu setzen. Nicht einmal sein Baumeister, der Typ, der den gesamten Bau überwachte, wusste etwas davon.«

»Moment«, unterbrach Olaf sie. »Soll das heißen, dass niemand etwas mitgekriegt hat? Ich meine, um so einen Gang zu mauern, braucht man doch zum Beispiel Arbeiter. Die wussten doch sicher davon.«

Dags schüttelte so energisch den Kopf, dass Romeo sich mit einem protestierenden Quietschen an ihrem T-Shirt festkrallen musste, um nicht von ihrer Schulter zu fallen. Sie griff nach einem der Bücher auf dem Fußboden, schlug es auf und zeigte auf ein Foto. »Schaut euch das an. Dieses Bild entstand 1913.«

Das grobkörnige Schwarz-Weiß-Foto war die Totalaufnahme einer gigantischen Baustelle, die das zukünftige Pergamonmuseum bestenfalls ansatzweise erahnen ließ. Das Durcheinander war unglaublich. Hoch aufragende Gerüste, halb fertiggestellte Mauern, metallene Schienen, tiefe Gräben, Streben, scheinbar wahllos herumliegende Balken, Schutthalden, Steine, Geröll, dazwischen herumwuselnde Menschen …

»Meine Güte! Das sieht aus wie nach einem Bombenangriff«, kommentierte Guddie das Foto.

»In so einem Chaos fragt niemand danach, mit welchem Bauabschnitt er gerade beschäftigt ist oder wofür das später dient.« Dags klappte das Buch wieder zu. Als weder Guddie noch Olaf ihr widersprachen, fuhr sie fort: »Ihr müsst euch das so vorstellen: Ursprünglich will Hoffmann mehrere unterirdische Kammern einrichten, die von dem Gang aus erreichbar sind. Aber 1916 wird ein totaler Baustopp für das Museum verfügt, weil alles verfügbare Baumaterial für den Krieg gebraucht wird. Der Gang ist inzwischen zwar fertig, aber das war's auch schon. Keine Kammern, keine Gewölbe, nichts. Nur der Gang. Und als die Bauarbeiten Jahre später weitergehen, hat Hoffmann die ganze Sache schon so gut wie vergessen. Als er 1932 stirbt, weiß kein Mensch etwas davon. Es gibt nur seine Aufzeichnungen.«

»Willst du etwa wirklich behaupten«, sagte Guddie ungläubig, »dass von dem Gang überhaupt niemand eine Ahnung hat?«

Dags nickte. »Ich habe in allen anderen Büchern nachgesehen. In keinem von ihnen wird der Gang erwähnt. Der einzige Hinweis darauf befindet sich in den Notizen, die seit sechzig Jahren in Inges Buch lagen.«

»Aber warum hat Hoffmann das Buch Inges Vater geschenkt?«, wandte Olaf ein. »Der hätte doch alles ausposaunen können und dann wäre es Essig gewesen mit dem Geheimnis.«

Dags schüttelte den Kopf. »Ich habe Inge heute Mittag angerufen. Ihr Vater war Hoffmanns engster Vertrauter und bester Freund. Sie sagt, die beiden hätten sich wie die Verrückten eine Partie Schach nach der anderen geliefert. Wie auch immer, Inges Vater starb 1932, also im selben Jahr wie Hoffmann. Wenn er je etwas verraten hätte, stände das in allen anderen Büchern, richtig?« Sie faltete die Hände und sah Guddie und Olaf an. »Ende der Geschichte. Noch Fragen?«

Olaf hob die Augenbrauen, holte tief Luft und schwieg.

Guddie schwieg ebenfalls, knabberte nachdenklich an ihrer Unterlippe und ließ sich das, was Dags erzählt hatte, durch den Kopf gehen. »Okay«, sagte sie endlich. »Dieser Gang … Wie kommt man hinein? In welchen Teil des Pergamonmuseums führt er und wo ist der Ausgang?«

»Der Eingang befindet sich hier im Keller des Neuen Museums.« Dags zeigte erneut auf den Grundriss, und Guddie bemerkte einen dünnen Strich, der ihr bisher nicht aufgefallen war. »Dieser Strich stellt den Gang dar. Denkt daran, dass er unter der Erde verläuft.«

Der Strich auf der Zeichnung führte aus der unteren rechten Ecke des Neuen Museums senkrecht nach unten, aus dem Gebäude hinaus. Dort knickte er in einem Winkel von neunzig Grad nach links ab und verlief schnurstracks bis unter den Nordflügel des Pergamonmuseums.

»In die Kellerwand des Neuen Museums ist eine Tür eingelassen, durch die man in den Gang gelangt«, erklärte Dags. »Sie wird mit einem versteckten Mechanismus geöffnet, den Hoffmann genau beschrieben hat, er dürfte also nicht schwer zu finden sein. Ehrlich gesagt habe ich etwas Angst, dass er nicht mehr so gut funktioniert. Das werden wir ausprobieren müssen.«

»Das gibt's doch gar nicht!« Olaf lachte, schüttelte den Kopf und ließ sich in das Sofa zurücksinken. »Ich komme mir vor wie Indiana Jones – eine Geheimtür, ein alter Gang. So ein Quatsch!«

»Zwei Geheimtüren«, berichtigte ihn Dags. »Und so was Besonderes ist das nun auch nicht! Jeder blöde alte Schreibtisch hat mindestens zehn Geheimfächer. Dagegen ist eine versteckte Tür in einem ganzen Museum ein Fliegenschiss!«

»Hey, reg dich ab«, beruhigte Olaf sie. »Es ist eben nur so schwer vorstellbar. Also, wie geht es weiter?«

»Wir laufen durch den Kolk bis unter den Nordflügel des Pergamonmuseums. Am Ende des Ganges befindet sich die zweite Tür. Durch die gelangt man in die Kanalisation. Von dort kommt man in den Keller und dann geht es über Treppen nach oben in die Ausstellungsräume, ganz normal.«

»Trotzdem gibt es tausend Dinge, die schiefgehen können«, äußerte Guddie ihre Bedenken. »Die Öffnungsmechanismen der Türen könnten nicht mehr funktionieren und der Gang im Kolk könnte, was weiß ich, verschüttet sein oder so was.«

»Stimmt.« Olaf hatte sich wieder nach vorn gebeugt. »Und wie kommen wir in den Keller des Neuen Museums und nachher aus dem Keller des Pergamonmuseums ins Treppenhaus? Ich meine, da wird sicher abgeschlossen sein und –«

»Ja, ja, ja!« Dags stand auf. Sie ging ans Fenster, sah hinaus und kraulte dabei Romeo unter dem Kinn. »Ihr habt ja Recht. Kann sein, dass wir nirgends reinkommen. Mein Gott, es kann sogar sein, dass wir gar nicht rein*müssen,* weil das alles Quatsch ist und das Tor gar nicht geklaut werden soll! Vielleicht haben wir alles falsch verstanden. Aber falls wir uns *nicht* getäuscht haben, ist die Sache einen Versuch wert.« Sie drehte sich um und musterte Guddie und Olaf eindringlich. »Also, seid ihr dabei?«

Guddie war etwas unbehaglich zu Mute. Nachts im Museum herumzulaufen war eine Sache und gefährlich genug. Einen alten Gang zu benutzen, in dem wer weiß was passieren konnte, war eine andere. Aber sie wusste, dass Dags notfalls auch alleine versuchen würde ins Pergamonmuseum zu gelangen. Und wenn ihr dort etwas zustieß, würde sie sich das nie verzeihen. »Okay«, sagte sie zögernd. »Ich bin dabei.«

»Olaf?«, fragte Dags.

»Ich auch.«

Dags nickte, als hätte sie keine andere Antwort erwartet, und ihre Mundwinkel verzogen sich zu einem breiten Grinsen. »Fein. Wir warten, bis es dunkel genug ist. Nachts ist zwar auf der Museumsinsel nichts los, aber wir müssen trotzdem aufpassen. Und ich schlage vor, dass wir noch vor dreiundzwanzig Uhr in den Monbijou-Park gehen.«

»Warum?«, fragte Olaf.

»Weil man von dort aus über die Spree auf die Rückseite des Pergamonmuseums sehen kann. Griffith und Röhricher werden ja wohl kaum so blöd sein, den Vordereingang zu benutzen. Wenn sie hinten nicht auftauchen, können wir die ganze Aktion sofort abblasen.«

»Gut, aber das sind noch ein paar Stunden.« Guddie sah auf die Armbanduhr. »Was sollen wir bis dahin machen?«

»Uns alle Bücher vornehmen, die wir haben, und uns die Grundrisse des Neuen Museums und des Pergamonmuseums einprägen«, sagte Dags. »Falls etwas schiefgeht und wir heute Nacht getrennt werden, weiß wenigstens jeder, wo er sich befindet.«

Es war ein sinnvoller Vorschlag. Guddie sah zu Olaf, der nachdenklich sein Glas zwischen den Händen drehte. Er zuckte die Achseln. »Warum nicht?«

»Okay«, sagte Guddie. »Aber es wird nichts schiefgehen.«

Es *durfte* nichts schiefgehen.

Kapitel 13

Im Kolk

Olaf sah auf seine Uhr, als sie am Hackeschen Markt aus dem S-Bahnhof auf die Straße traten. 22:42 Uhr. Vor den offenen Türen hell erleuchteter Bars und Kneipen drängten sich gut gelaunte Menschen. Fröhliches Lachen, die gedämpften Bässe hektischer Tanzrhythmen, helles Gläserklirren und das Klingeln einer vorbeifahrenden Straßenbahn erfüllten die Luft. Niemand beachtete die drei Kinder in dunkler Kleidung, die in Richtung des nahe gelegenen Monbijou-Parks gingen.

Als sie, abseits des Lärms und der Lichter, die Oranienburger Straße überquerten, fiel Olafs Blick auf zwei blonde, mehr als knapp bekleidete Frauen, die nahe der S-Bahn-Brücke unter dem Licht einer Straßenlaterne standen. Eine der Frauen bemerkte ihn und zwinkerte ihm zu. Er wurde puterrot vor Scham.

»Sind das Prostituierte?«, fragte Guddie neugierig.

»Nein«, grinste Dags und stapfte über die Rasenfläche des Parks. »Die stehen da rum, weil sie Werbung für Reizwäsche machen.« Leise sang sie die ersten Takte eines Liedes, das Olaf nicht kannte, dessen Text er aber verstand: *Love for Sale* – Liebe zu verkaufen.

Zwei Minuten später standen sie vor einem gusseisernen Geländer am Ufer der Spree. Der Abendwind fuhr raschelnd in die Zweige einer Trauerweide, die bis auf das schwarze, träge dahinströmende Wasser herabhingen. Hinter der Nationalgalerie, unter dem beinahe wolkenlosen Himmel, schwamm die Kuppel des Berliner Doms im Licht des Vollmonds.

»Schlechtes Wetter wäre besser«, murmelte Dags. Sie biss verdrossen ein Stück von einem Schokoriegel ab, den sie aus ihrer Jackentasche gefischt hatte. »Wenn wir erst mal drüben auf der Insel sind, fallen wir auf wie die Kirschen auf einer Sahnetorte.«

Olaf drückte einen Zweig zur Seite, der ihm den Blick auf die gegenüberliegende Seite des Flusses versperrte, wo sich die rückwärtige Wand des Pergamonmuseums erhob. Eine einsame Hinterhoflampe tauchte den davorgelegenen Platz, auf dem drei Lastwagen geparkt waren, in mattes Licht. Entlang des Nordflügels waren zahlreiche würfelförmige Container aufgestapelt worden. Zu sehen war niemand.

»Vielleicht sollen die einzelnen Teile des Tors in die Container gepackt und dann mit den Lkws weggeschafft werden?«, sagte Guddie.

Sie stand neben Olaf, die schmalen Hände auf das Geländer gelegt, und mit ihren zurückgesteckten, zu einem lockeren Knoten zusammengebundenen Haaren wirkte sie auf ihn beinahe ein wenig fremd. In dem kleinen Rucksack, den sie auf dem Rücken trug, war alles verstaut, was sie für den Besuch des Pergamonmuseums benötigten – das hoffte er zumindest.

Es klatschte, als Dags nach einer Mücke schlug. »Bis jetzt wissen wir nicht mal, ob sich da drin überhaupt etwas tut. Und wenn wir nicht bald von hier verschwinden, fressen uns diese verdammten Viecher auf«, schimpfte sie leise.

Wie üblich hockte Romeo auf ihrer Schulter, kaum mehr als ein kleiner schwarzer Klumpen in der Dunkelheit. Sie hatte ihn, während sie sich bei Guddie das Warten auf den Anbruch der Nacht mit einem ausgiebigen Abendessen verkürzt hatten, mit Toastbrot gefüttert. »Er hat dich schon vorgestern im Kempinski in Schwierigkeiten gebracht«, hatte Olaf vorsichtig eingewandt. »Wenn diesmal wieder etwas schiefgeht, sind wir womöglich alle dran.«

Dags hatte nicht geantwortet. Nun gut, Schweigen war auch eine Art, seinen Kopf durchzusetzen. Und er hatte nicht riskieren wollen, ihre gerade erst beginnende Freundschaft aufs Spiel zu setzen. Dass sie Guddie nicht verraten hatte, was sie über ihn wusste, sich sogar Anspielungen darauf verkniffen hatte, rechnete er ihr hoch an.

»Hey, jetzt passiert was!«, flüsterte Guddie. »Da kommt ein Auto!«

Es war so alltäglich und vielleicht gerade deswegen so gespenstisch. Die Lichtkegel zweier Scheinwerfer tasteten sich über die Container, die dunkelblau aufleuchteten. Dann schob sich ein Wagen an den Lastwagen vorbei, fuhr bis zum Ende des Nordflügels und die Scheinwerfer erloschen.

Dags hatte in Windeseile das Teleobjektiv auf die um ihren Hals hängende Kamera geschraubt und spähte durch den Sucher. »Nun seht mal, wen wir da haben!«, flüsterte sie, als die Türen des Wagens aufschwangen.

»Röhricher, Griffith … und der Glatzkopf!« Guddie hatte die drei aus dem Wagen steigenden Männer auch ohne Hilfe der Kamera erkannt. »Also wird es tatsächlich ernst.«

Olaf bemerkte, dass sie schluckte. In seinem Magen bildete sich ein kleiner, fester Knoten.

»Der Fahrer sitzt noch im Auto, wahrscheinlich soll er den Eingang bewachen.« Dags setzte die Kamera ab, als die drei Männer im Seiteneingang des Nordflügels verschwunden waren. Behutsam nahm sie Romeo von der Schulter, ließ ihn in ihre Jacke gleiten und knöpfte sie zu. »Gehen wir.«

Olaf folgte ihr und Guddie in kurzem Abstand über den schlecht beleuchteten Weg, der entlang des Flussufers zur Friedrichsbrücke führte. Er betrachtete Guddies bloßen Nacken und die einzelnen Haare, die sich aus dem Knoten gelöst hatten und ihr auf die Schultern fielen. Es ärgerte ihn, dass sich in den zurückliegenden Stunden keine Gelegenheit geboten hatte, mit ihr zu reden, weil jeder Gedanke daran vor dem bevorstehenden Abenteuer in den Hintergrund gerückt war. In den Ärger mischte sich jedoch auch die Erleichterung, noch einmal davongekommen zu sein, noch einmal einen Aufschub erhalten zu haben. Nun ja, wenn sie alles überstanden hatten, würde noch genügend Zeit für eine Unterredung sein.

Hoffentlich …

Der Knoten in seinem Magen wollte nicht mehr verschwinden. Olaf dachte daran, dass Griffith keine Skrupel gehabt hatte, den Mann im hellgrauen Anzug von der Bildfläche verschwinden zu lassen. Wer sagte ihnen, dass er nicht genauso wenig Hemmungen haben würde, wenn es um einen von ihnen ging? Der Gedanke war mehr als furchterregend.

Warum hast du dich dann auf die Sache eingelassen?, fragte die Stimme in seinem Kopf. Er hörte Guddie leise auflachen. Sie musste etwas Witziges gesagt haben, denn Dags legte kichernd einen Arm um ihre Hüfte. Er beneidete die beiden um ihre Unbefangenheit. Wenn er anfangs gedacht hatte, Guddie sei schüchtern und ängstlich, so musste er spätestens jetzt seine Meinung ändern. Sie wirkte genauso entschlossen wie Dags, die ganze Sache durchzuziehen. Trotzdem wollte er in ihrer Nähe sein – um sie zu beschützen, falls das notwendig würde, auch wenn ihm klar war, dass genauso gut der umgekehrte Fall eintreten konnte und eines der Mädchen ihm aus der Klemme helfen musste, falls die Geschichte brenzlig wurde.

Und das ist alles?, höhnte die Stimme.

Ja. Ist das nicht genug?

Sie überquerten die Friedrichsbrücke und ließen die Einfahrt, durch die Griffiths Wagen zum Hintereingang des Pergamonmuseums gefahren war, hinter sich. Dann passierten sie die dorische Säulenreihe, die den Vorderbau der Nationalgalerie zur Straße hin begrenzte. Fünfzig Meter weiter erhob sich zu ihrer Rechten die zerrissene Silhouette des Neuen Museums. Die in den oberen Stockwerken eingesetzten modernen Fenster wirkten auf dem Hintergrund der zerbröckelnden Mauern seltsam unpassend. Vor dem Museum lag die Zufahrt zur Baustelle, verschlossen durch ein Gittertor, das in einen hohen, undurchlässigen Metallzaun überging. Der Zaun selbst erstreckte sich weiter geradeaus, in Richtung Kupfergraben.

Olaf steuerte zielstrebig das Tor an, als Dags ihn plötzlich am Ärmel seiner Jacke festhielt. »Weitergehen!«, zischte sie. »Da ist ein Nachtwächter!«

Aus dem Augenwinkel nahm Olaf das hinter dem Tor stehende Wachhäuschen wahr, aus dessen Fenster gedämpftes Licht nach draußen fiel. Er folgte den beiden Mädchen, die an dem Tor vorbeigingen, bis der sich daran anschließende Metallzaun sie vor den Blicken des Nachtwächters verbarg. »Das fängt ja gut an«, flüsterte er. »Und jetzt?«

»Hier kommen wir jedenfalls nicht rüber.« Guddie hatte das Gesicht an eines der kleinen, vergitterten Gucklöcher gepresst, die in den Zaun eingelassen waren, um vorübergehenden Passanten einen Blick auf die Bauarbeiten zu ermöglichen. Olaf und Dags taten es ihr gleich.

»Oh, so ein Mist!«, fluchte Dags.

Olaf sah sofort, was sie meinte. Man hatte das Neue Museum bis auf die Grundmauern freigelegt, so dass unmittelbar hinter dem Zaun der Boden steil abfiel, bis weit unter das Niveau der Straße. Wer hier hinüberkletterte, musste sich auf der anderen Seite fast vier Meter tief fallen lassen und ging damit das Risiko ein, sich einen Knöchel zu brechen. Dafür war der gesamte Kellerbereich offen und durch hohe Bogengänge begehbar – einer der Gründe dafür, dass ein Nachtwächter die Baustelle bewachte. Der andere Grund waren die zwischen dicken Wasserschläuchen, Mischmaschinen und Werkzeugkisten stehenden teuren Baufahrzeuge, ein Bagger und eine kleinere Planierraupe.

»Mist!«, fluchte Dags noch einmal.

»Moment, ich hab eine Idee.« Olaf lief am Zaun entlang in Richtung Kupfergraben, vergewisserte sich, dass niemand ihn sah, und hob eine Handvoll kleinerer Steine auf. Mit einem kräftigen Wurf schleuderte er sie gegen das äußerste linke Fenster im Erdgeschoss des Museums. Die Steine schlugen laut prasselnd gegen das Glas.

Er hastete zurück bis zu der Stelle, an der sich das Tor an den Metallzaun anschloss und wo Guddie und Dags ihn erwarteten. Gemeinsam beobachteten sie, wie der Nachtwächter, ein grauhaariger älterer Mann, sein Häuschen verließ und sich umständlich in Bewegung setzte. Er stapfte hinter dem Tor vorbei und kletterte dann leise schimpfend den kleinen Erdwall hinunter zur Baustelle.

»Und jetzt Beeilung!«, zischte Olaf. »Wir haben höchstens eine Minute Zeit.«

Das Tor war gute zwei Meter hoch und die Abstände zwischen den einzelnen Gitterstäben waren zu gering, um sich zwischen ihnen hindurchzwängen zu können. Dags hatte Romeo bereits aus ihrer Jacke geholt und drückte ihn Guddie in die Hand.

»Räuberleiter!«, flüsterte sie.

Olaf stellte sich mit dem Rücken gegen das Tor, ging in die Hocke und faltete die Hände. Dags drückte sich mit einem Fuß darauf ab, klammerte sich an die Gitterstäbe und zog sich nach oben. Als Olaf sich umdrehte, baumelten ihre Beine bereits auf der anderen Seite des Tors in der Luft. Sie ließ sich fallen, landete mit einem sanften Plumps auf dem Boden und nahm Romeo entgegen, den Guddie ihr durch die Gitterstäbe reichte.

»Alles klar?«, wisperte sie.

»Ja«, gab Olaf leise zurück. »Aber friss in Zukunft weniger Schokolade.«

»Äußerst witzig«, fauchte Dags, konnte aber ein Kichern nicht unterdrücken. Sie blickte in die Richtung, in die der Nachtwächter verschwunden war. »Macht schnell!«

Guddie war leichter als Dags. Nachdem Olaf ihr über das Tor geholfen hatte, verschränkten die Mädchen ihre Hände, die er durch die Gitterstäbe hindurch als Trittbrett benutzte. Keine fünf Sekunden später hatte auch er sich auf die andere Seite gehievt. Gemeinsam schlitterten sie den Erdwall hinunter, hasteten nach rechts in den Keller und suchten Deckung hinter dem ersten Bogengang.

Keine Sekunde zu früh. Knirschende Schritte ertönten, als der Nachtwächter zurückkam, immer noch leise vor sich hin schimpfend. An die Wand gepresst warteten sie, bis die Schritte verklungen waren.

»Glück gehabt.« Guddie atmete erleichtert auf.

»Die Taschenlampe lassen wir vorläufig besser aus«, flüsterte Dags. Sie sah sich um, zögerte einen Moment und ging dann zielstrebig nach links.

Jetzt, wo sie durch die Dunkelheit laufen mussten, machte es sich bezahlt, dass sie die Baupläne der zwei Museen studiert und praktisch auswendig gelernt hatten. Die Augen auf Guddies Rücken gerichtet tastete Olaf sich an den rauen Wänden entlang, angestrengt darauf bedacht, beim Gehen so wenig Geräusche wie möglich zu verursachen. Dennoch klang jeder Schritt über den Bauschutt in seinen Ohren wie Hagel, der auf ein Glasdach prasselt.

»Hier sind wir richtig«, sagte Dags, als sie zwei Kellerräume durchquert und den dritten betreten hatten. Durch eine zur Museumsstraße gelegene Fensteröffnung sickerte trübes Licht, in dem aufgewirbelter Staub sich wie ein Spiralnebel drehte. »Und das muss sie sein.«

Nichts unterschied die vor ihnen aufragende Mauer von den übrigen Wänden des Raums, die aus schlichten, rotbraunen Backsteinen bestanden. Säulenartige Vorsprünge unterteilten sie in Abständen von etwa eineinhalb Metern in Abschnitte – wie Hoffmann es beschrieben hatte. Olaf, Dags und Guddie traten nebeneinander vor den mittleren Mauerabschnitt, der dem Architekten zufolge in Wirklichkeit der Eingang in den Kolk sein sollte. Die Federkonstruktion, mit der er geöffnet wurde, sollte hinter einem Backstein angebracht sein, der sich in die Mauer drücken ließ, eingebaut in zwei Meter Höhe, damit die Tür nicht versehentlich geöffnet wurde, wenn jemand sich zufällig gegen die Wand lehnte.

»Ob dahinter wirklich eine Treppe ist?«, fragte Guddie.

»Werden wir gleich sehen«, sagte Olaf. »Räuberleiter?«

»Nein.« Dags zeigte auf eine rostige Schubkarre, die in einer Ecke stand. »Wir nehmen die da.«

Sie trugen die Schubkarre gemeinsam vor die Mauer.

Olaf und Guddie hielten sie fest, als Dags hineinkletterte, die Arme nach oben streckte und sorgfältig jeden Stein in ihrer Reichweite zu betasten begann.

»Nichts«, flüsterte sie nach einer Minute. Sie stieg aus der gefährlich wackelnden Schubkarre, schob sie weiter nach links und wiederholte die Prozedur. Plötzlich hielt sie inne. »Hey, ich glaube …«

Obwohl er darauf vorbereitet gewesen war, zuckte Olaf erschrocken zusammen, als ein schabendes Gleiten ertönte und das gesamte Wandstück beinahe lautlos nach hinten schwang. Jahrzehntealter Putz und Staub rieselten zu Boden. »Irre!«, flüsterte er andächtig. »Das ist echt wie im Film!«

»Es ist besser!« Guddie trat mit zusammengekniffenen Augen einen Schritt nach vorn und starrte in die Finsternis, die alles Licht in sich aufzusaugen schien. »Wie weit geht das wohl runter?«

»Werden wir gleich sehen.« Dags fiel vor Aufregung um ein Haar aus der Schubkarre. Sie sprang zu Boden, stellte sich vor die Öffnung in der Wand und knipste die Taschenlampe an. Der Lichtkegel erleuchtete einen etwa einen Meter tiefen Absatz. Dags machte zwei Schritte nach vorn und richtete die Taschenlampe auf die breiten, steil abfallenden Stufen des Treppenschachts.

»Nach unten sind es ungefähr sechs Meter«, schätzte sie. »Besser, wir gehen nacheinander runter. Wer weiß, ob die Stufen uns alle drei aushalten.« Sie drehte sich zu Olaf und Guddie um. »Einer von uns sollte hier oben alles so lange im Auge behalten, bis die anderen beiden unten sind. Wenn der Nachtwächter uns auf den letzten Drücker erwischt …«

»Ich bleib hier«, bot Olaf sich an. Er hatte ohnehin die ganze Zeit die Nachhut gebildet. Zusammen mit Guddie sah er Dags dabei zu, wie sie vorsichtig die Stufen hinabstieg, tief und immer tiefer nach unten.

»Es hört gar nicht auf«, flüsterte Guddie.

Ja. Ein unachtsamer Schritt, ein Stolpern und …

»Guddie, komm runter!« Die Worte verklangen in einem flüsternden, hohlen Echo. Dags war am Fuß der Treppe angekommen und leuchtete die Stufen herauf. Sie wirkte zwergenhaft klein da unten … beinahe furcherregend klein.

Guddie wandte sich um, als Olaf ihr von hinten eine Hand auf die Schulter legte. »Pass auf dich auf«, flüsterte er.

»Es ist nur eine Treppe.«

»Hast du keine Angst?«

»Ein bisschen«, sagte sie nach kurzem Zögern.

»Warum … warum machst du das dann?«

»Wegen dem Mann im hellgrauen Anzug.«

Die Antwort klang fest und entschlossen. Nur Guddies Versuch eines Grinsens missglückte – oder es lag an dem trüben Licht, dass ihr Gesicht plötzlich wirkte wie die Maske eines traurigen Clowns. Ohne darüber nachzu-

denken, zog Olaf sie aus dem Lichtkegel der Taschenlampe dicht an sich heran und küsste sie auf den Mund.

Seine und ihre Lippen lagen aufeinander und es war
warm und gut und schön, es war aufregend, sein Herz bis
zum Hals schlagen zu fühlen, die Wärme zu spüren, die
durch seinen Körper schoss. Sie hielt auch dann noch an,
als Guddie sich von ihm gelöst hatte, sich umdrehte und
die Treppe hinabstieg, ihre blonden Haare ein heller
Fleck Licht, der immer kleiner und immer blasser wurde.

»Olaf …? Olaf, komm runter!«

Er betrat den Absatz, drückte die Wandtür hinter sich
zu, vorsichtig, um sie nicht ganz zu schließen, und wieder
erstaunte ihn, wie gut die alte Mechanik noch funktio-
nierte. Dann drehte er sich um und stieg, dem Lichtstrahl
der Taschenlampe folgend, die Stufen hinab. Das laute
Brüllen der Stimme in seinem Kopf traf ihn so unerwartet
wie ein Stromstoß oder ein Schlag ins Gesicht.

HIER KOMMST DU NICHT MEHR LEBEND RAUS!

Geschockt und benommen blieb Olaf stehen. Er musste
sich mit aller Kraft zusammenreißen, um nicht sofort umzukehren und davonzulaufen, schreiend vor Angst. Dann
war der Moment vorüber. Aber seine Beine zitterten immer noch, als er tiefer in die Dunkelheit hinabstieg, in der
Dags und Guddie auf ihn warteten.

Der Gang war gerade so breit, dass sie nebeneinanderlaufen konnten, ohne an den Wänden aus rotbraunem Backstein anzustoßen. Und er war hoch, gute zwei Meter. Das muss er auch sein, dachte Dags, wenn sie hier ihre Statuen und den übrigen alten Krempel durchschleppen wollten, um ihn vor Plünderern in Sicherheit zu bringen.

»Ganz schön kalt hier ... und es stinkt«, sagte Olaf neben ihr. Ein leichtes Zittern lag in seiner Stimme, wie um seinen Worten Nachdruck zu verleihen. Guddie hatte angewidert das Gesicht verzogen und rümpfte die Nase.

Die Luft war nicht nur kalt, sie war auch abgestanden und stickig. Ein seltsam penetranter Geschmack, der Dags an alte, wurmstichige Äpfel erinnerte, hatte sich auf ihre Zunge gelegt. Sie hob die Taschenlampe, um die Decke zu beleuchten: nackter, grauer Beton, voller haarfeiner Risse, zwischen den Unterseiten verrosteter alter Eisenträger.

»Wir sind tatsächlich unter dem Betongewölbe«, flüsterte Guddie voller Ehrfurcht. »Im Kolk.«

Dags gab keine Antwort. Sie fühlte sich großartig. Es war ihr zu verdanken, dass sie sich sechs Meter tief unter der Erde befanden, ihr und, wie sie sich unwillig eingestehen musste, Ludwig Hoffmanns Notizen. Jeder einzelne Herzschlag trieb ihr das Blut wie Feuer durch die Adern.

Adrenalin ... Fühlt sich mindestens so gut an wie ein Zeugnis voller Einser!

Das Einzige, was ihre gute Laune trübte, war die Beschaffenheit des Bodens. Er war uneben und bestand lediglich aus festgeklopfter Erde, die so hoch mit Staub bedeckt war, dass jeder Schritt einen deutlich sichtbaren Abdruck darauf hinterließ, wie beim Laufen über frisch gefallenen Schnee. Bei der Vorstellung, ein zu festes Auftreten könnte womöglich den Untergrund unter ihren Füßen nachgeben lassen, drehte sich Dags der Magen um.

»Ab hier geht es nur noch geradeaus, bis wir unter dem Nordflügel sind«, sagte sie, als sie an der Stelle angekommen waren, wo der Gang nach rechts abknickte.

Wie weit es noch bis dahin war, konnte sie unmöglich bestimmen. Das Licht der Taschenlampe reichte nicht aus, um den Gang bis an sein Ende auszuleuchten. Er lag vor ihnen wie der aufgerissene Rachen eines gewaltigen Tieres – kein besonders erhebender Anblick.

Eine halbe Minute später standen sie vor dem ersten Loch im Boden. Es war nicht groß, bestenfalls von den Ausmaßen eines gewöhnlichen Schuhkartondeckels, und doch … Als sie davor niederkniete, fühlte Dags, wie die feinen Härchen an ihren Armen sich aufrichteten.

»Leuchte mal rein«, sagte Olaf. Er und Guddie waren neben ihr in die Hocke gegangen, ihre Gesichter schemenhafte Fratzen im Schattenspiel des Lichts.

Der Strahl der Taschenlampe, die Dags über die Öffnung im Boden hielt, offenbarte so gut wie nichts. Dunkler, grobkörniger Sand, der mit der Leere, die ihn umschloss, zu noch tieferer, unheimlicher Schwärze verschmolz. »Nutzlos«, sagte sie. »Man sieht nichts.«

»Warte mal.« Guddie hatte einen kleinen Stein aufgehoben. Sie hielt ihn direkt über den Spalt, legte einen Finger an die Lippen und ließ ihn fallen.

»Habt ihr was gehört?«, fragte Olaf, nachdem sie alle mehrere Sekunden lang angespannt gelauscht hatten.

Guddie schüttelte den Kopf, die Augen immer noch gebannt auf das Loch gerichtet. »Nein.«

»Weiß der Geier, wie weit es nach unten geht«, sagte Dags und stand auf. Eine eiszeitliche Schlucht!, erinnerte sie sich fröstelnd. Zweihundert Meter lang und bis zu fünfzig Meter tief ... *o Gott, fünfzig Meter!*

»Vielleicht ist im Lauf der Jahrzehnte der Sand im Kolk nachgerutscht«, vermutete Guddie. »Oder einer dieser Holzstämme, die zur Verstärkung im Untergrund stecken, ist verfault.«

Mit einem langen, vorsichtigen Schritt stieg Dags über den Spalt. »Egal was es ist – passt auf, wo ihr hintretet, wenn ihr keine Lust habt, mit zerbrochenen Knochen auf einem vergammelten Mammut zu landen.«

Beim Weitergehen stießen sie auf insgesamt drei weitere Löcher. Keines davon war wesentlich größer als das erste. Um jedes von ihnen machten sie einen großen Bogen.

»Da vorn ...«, sagte Guddie.

»Ja. Endlich.«

Wie erwartet endete der Gang in einer Sackgasse. Diesmal war es leichter, den Stein zu finden, mit dem der Öffnungsmechanismus in Bewegung gesetzt wurde. Er war in der linken Mauer eingebaut und durch ein mit Kohle daraufgezeichnetes Kreuz markiert worden. Als Olaf dagegen drückte, verschwand er knirschend zur Hälfte in der Wand – dann folgte Stille.

»Was ist los?«, fragte Guddie nervös.

»Das blöde Ding klemmt!«

Fast wütend versetzte Olaf der Tür einen kräftigen Tritt. Sie löste sich knarrend und widerstrebend aus ihrem Rahmen und schwang ihnen langsam entgegen, begleitet von bröckelndem Putz und einer Wolke aus Staub.

»Sieg der Gewalt über den Verstand«, sagte Dags. Sie zog die Türe ganz auf, machte einen Schritt nach vorn und hob dabei die Taschenlampe an – zu spät, um die mindestens fünf Rohre zu sehen, die hinter dem Türrahmen von links nach rechts verliefen. Es dröhnte hohl, als sie mit der Stirn gegen das oberste Rohr stieß.

»Scheiße!«

Benommen betastete sie ihre Stirn. Nach dem Zusammenstoß mit ihrer Bettkante am Nachmittag war dies das zweite Mal, dass sie sich heute den Kopf angeknallt hatte. Verdammte Wasserleitungen! Sie mussten Jahre nach dem Bau der Wandtür davor verlegt worden sein.

»Alles okay?« Guddie hatte ihr mitfühlend eine Hand auf den Rücken gelegt.

»Alles bestens«, sagte sie. Gebückt schob sie sich unter den Rohren hindurch und fand sich mit beiden Füßen in einer trüben, schmutzig braunen Brühe stehend wieder, die beinahe knöcheltief den Boden bedeckte. »Vielleicht krieg ich jetzt endlich neue Turnschuhe«, murmelte sie.

Es platschte leise, als Guddie und Olaf, die nach ihr unter den Rohren durchgekrochen waren, sich neben sie stellten. »Jetzt nach links, oder?«, sagte Guddie und zog die Tür hinter sich bis auf einen schmalen Spalt zu.

»Ja. Noch ungefähr zehn Meter.«

Sie stapften langsam durch die braune Brühe, jeder darauf bedacht, sich nicht vollzuspritzen. Die Luft war feucht und kalt – klebrig, entschied Dags, die das Gefühl hatte, Flüssigkeit einzuatmen. Dutzende von Rohren überzogen die Wände und die Decke des niedrigen und engen Gewölbes, und aus weiter Ferne, irgendwo hinter ihnen, erklang ein monotones, hallendes Tropfen.

»Unheimlich«, sagte Guddie leise.

Allerdings. Mehr um sich selbst zu beruhigen, streichelte Dags über ihre Jacke und fühlte Romeos weiches, warmes Fell unter dem Stoff. »Würde mich nicht wundern, wenn hier eine kleine Kolonie deiner Artgenossen rumschwirrte«, flüsterte sie.

Die Tür, die aus der Kanalisation in den Keller des Museums führte, sah so aus, als hätte sie dringend einen neuen Anstrich nötig. Unter dem graublauen, an vielen Stellen abgeblätterten Lack glänzten dunkle Rostflecken.

Davor stieg der Boden leicht an, so dass sie im Trockenen standen, als Guddie den Türgriff herabdrückte.

»Abgeschlossen. Wie wir gedacht hatten.« Sie drehte sich um, zog den Rucksack ab und sah Dags an, als sie ihn öffnete und darin herumkramte. »Wirst du damit fertig?«

»Ich denke schon.« Dags gab Olaf die Taschenlampe, dann nahm sie die Zange und die Schraubenzieher, die Guddie ihr entgegenhielt. »Mein schusseliger Vater hat schon so viele Schlüssel verloren und Schlösser geknackt, dass er eine zweite Karriere als Einbrecher starten könnte«, erklärte sie, als sie einen passenden Schraubenzieher ausgesucht hatte und damit die Schrauben löste, die den Beschlag des altertümlichen Schlosses hielten. »Und ratet mal, wer ihm beim Einbrechen zugucken durfte?«

Sie nahm den Beschlag ab, legte ihn neben sich auf den Boden und suchte den Verschlussmechanismus nach einer Stelle ab, an der sie die Zange ansetzen konnte. »Halt die Lampe ruhig, Olaf«, murmelte sie, als das Licht zitternd über ihre Finger zu tanzen begann.

»Entschuldigung.«

Beim dritten Versuch griff die Zange. Dags verstärkte den Halt um den Griff und drehte sie ruckartig nach links. Das Schloss knackte zweimal hintereinander, trocken und widerstrebend, dann schob sich die Tür einen Spalt weit nach außen auf. Guddie legte Dags eine Hand auf den Rücken und strahlte sie an. »Bingo!«

Dags grinste. »Bei passender Gelegenheit können wir unserem Kultursenator dafür danken«, flüsterte sie, als sie die Zange und die Schraubenzieher wieder im Rucksack verstaute. »Wenn Röhricher mehr Geld für die Museen rausrücken würde, statt es für irgendwelchen Blödsinn zu verpulvern, gäbe es hier nämlich ein Sicherheitsschloss.«

Kapitel 14

Beschützer der Diebe

Am Fuß der weit geschwungenen Marmortreppe, die aus dem Keller hinauf in die Ausstellungsgeschosse führte, ließen sie Rucksack und Taschenlampe zurück, die sie auf dem weiteren Weg nur behindern würden. Guddie zog sogar ihre Jacke aus. Während sie über die breiten Stufen nach oben eilten, nicht mehr als Schatten im Mondlicht, das durch die hohen Bogenfenster fiel, rief Dags sich den Grundriss des Gebäudes ins Gedächtnis.

Wir befinden uns am unteren Ende des Nordflügels. Wir gehen bis oben hin durch, wo er in den linken Teil des Mittelflügels übergeht. Der Mittelflügel besteht aus drei großen Sälen, von denen der dritte, ganz rechts gelegene derjenige ist, in dem das Tor von Milet steht.

»Ich komme mir vor wie eine Läuferin im Ausscheidungsrennen«, keuchte Guddie, als sie im ersten Stock angekommen waren. Das graue T-Shirt, das ihr aus den Jeans hing, war verschwitzt.

Dags schluckte die Erwiderung, die ihr auf der Zunge lag, hinunter. Es konnte passieren, dass sie schon in ein paar Minuten schneller laufen mussten, als ihnen lieb war.

Und ob Olaf, der in den letzten Minuten keinen Ton mehr von sich gegeben hatte, dafür die Nerven hatte, wagte sie stark zu bezweifeln. Mit seinen weit aufgerissenen Augen erinnerte er sie an ein Kaninchen, das beim Anblick einer Schlange zu Bewegungslosigkeit erstarrt. Was war nur mit ihm los?

»Kleine Führung gefällig?«, flüsterte sie, als die ersten beiden Ausstellungsräume hinter ihnen lagen. Sie zeigte auf die lebensgroßen, an den Wänden aufgereihten Statuen aus Marmor und Bronze. »Hier sehen Sie griechische Meisterwerke der späthellenistischen Phase um 200 vor Christus. Bitte beachten Sie, dass die Plastiken ihre klassische Ruhe so gut wie verloren haben und völlig planlos weit in den Raum hineingreifen!« Sie hob die Kamera hoch und tat so, als knipste sie begeistert ein paar Fotos.

»Lass den Quatsch«, flüsterte Olaf rau.

»Hey, ich versuche doch nur –«

»*Halt endlich die Klappe!* Ich bin schon nervös genug.«

»Keinen Sinn für Humor, was?«

»Nicht für deinen.«

Dags öffnete den Mund zu einer weiteren Erwiderung, wurde aber von Guddie durch einen ungnädigen Knuff in die Seite daran gehindert. Verärgert presste sie die Lippen zusammen.

Dann eben nicht. Sie hatte nur versuchen wollen Olaf etwas von seiner offensichtlichen Angst zu nehmen. Selbst in dem kaum nennenswerten Licht konnte sie die Schweißtropfen erkennen, die auf seiner Stirn standen und die er mit einer trotzigen Handbewegung wegwischte, als er ihren Blick bemerkte. *Wenn er bloß nicht ausrastet und alles vermasselt!*

Schweigend durchquerten sie die nächsten Räume, bis sie den ersten der drei Architektursäle des Mittelflügels erreichten. Gewaltige Säulen wuchsen wie steinerne Bäume den hellen Mondstrahlen entgegen, die durch die transparente Decke des Saales fielen. Ohne auf Olaf und Guddie zu warten, schlich Dags auf den Durchgang in der rechten Wand zu, durch den man in die Halle mit dem Pergamonaltar gelangte.

Ihr gegenüber, auf der anderen Seite des Pergamonsaals, lag ein identischer Durchgang, der jedoch zu weit entfernt war, um mehr als blendendes Licht und sich bewegende Schemen wahrnehmen zu können. Aber Dags vernahm das Brummen und Klopfen, das Hämmern und Schleifen, das sich darüber erhebende Stimmengewirr …

»Olaf!«, hörte sie Guddie hinter sich rufen.

Sie wirbelte herum. Olaf hatte sich mit dem Rücken gegen eine der Säulen gelehnt und glitt gerade daran herab. »Mir ist schlecht«, flüsterte er, als er auf dem Boden saß. Als Dags prüfend eine Hand auf seine schweißnasse Stirn legte, spürte sie fiebrige Hitze.

»Was hast du?« Guddie hatte sich zu ihm hinabgebeugt und fuhr ihm mit einer hilflosen Handbewegung durch die Haare.

Na prima! Klasse! Hervorragend!

»Ich weiß nicht. Mir ist so schwindelig«, flüsterte Olaf. Seine Augen funkelten unruhig. Er versuchte sich aufzurichten, sank jedoch sofort wieder in sich zusammen.

»Wir gehen zurück.« Guddie hatte sich vor ihn gekniet und seine Hand genommen, die sie sacht streichelte. »Sofort.«

»Bist du verrückt, wo wir es so gut wie geschafft haben?«, protestierte Olaf schwach. »Wir brauchen die Bilder!«

Womit er verdammt Recht hatte, fand Dags. Sie konnten unmöglich umkehren, nicht jetzt! Ohne die Fotos, die Griffith und Röhricher beim Diebstahl des Tors zeigen würden, war alles umsonst. Keiner würde ihnen glauben.

»Dann bleibe ich bei dir«, sagte Guddie entschlossen.

»Nein, du gehst mit Dags.« Olaf schloss erschöpft die Augen. »Ich warte hier auf euch. Wenn was passiert, kriege ich das wenigstens mit und kann … kann zurücklaufen und die Polizei holen.«

Guddie warf Dags einen Hilfe suchenden Blick zu. Dags hob ratlos die Achseln. Der Himmel wusste, warum Olaf ausgerechnet jetzt zusammengeklappt war, aber sie hatten, verdammt noch mal, keine Zeit, das zu erforschen. »Je schneller wir es hinter uns bringen, desto eher sind wir wieder hier«, sagte sie.

»Na gut.« Guddie ließ zögernd Olafs Hand los und stand auf. »Wir beeilen uns.«

»Passt auf euch auf«, rief Olaf ihnen leise nach.

»Ich weiß, dass dir das schwerfällt«, flüsterte Dags, als sie sich ein paar Schritte von ihm entfernt hatten. »Aber konzentrier dich jetzt auf das, was vor uns liegt, okay?«

Guddie biss sich auf die Lippen und nickte.

Sie glitten hinaus in den Pergamonsaal und huschten an den friesverzierten Wänden entlang. Dags hatte schon zuvor befriedigt festgestellt, dass die Sohlen ihrer Turnschuhe auf dem glatten Steinboden so gut wie keine Geräusche verursachten. Ihre Schritte waren nicht lauter als das Wispern fallender Blätter. Im Vorbeilaufen musterte sie den Fries, auf dem die Titanen in ewigem Kampf mit den Göttern lagen, und die antiken Namen erfüllten ihren Kopf: Zeus, Hera, Poseidon, Athene, Dionysos, Artemis, Apollon, Hermes …

… so steh denn auf, Gefährte der schwarzen Nacht, denn dieser Name sei dir gegeben unter den unsterblichen Göttern: Den Führer der Diebe wird man dich nennen bis in alle Ewigkeit!

Dags konnte sich nicht daran erinnern, wo sie diese Worte gehört oder gelesen hatte. Kurz darauf, als sie und Guddie am anderen Ende des Saals angekommen waren, stellte sie jedoch fest, dass Hermes, der göttliche Sendbote, Beschützer der Kaufleute und Diebe, Griffith und Röhricher tatsächlich gewogen zu sein schien. Der Durchgang zum Miletsaal war so tief und gleichzeitig so schmal, dass man lediglich einen Bruchteil dessen erfassen konnte, was dahinter vorging – es sei denn, man stellte sich direkt in den Mauerausschnitt, um Fotos zu schießen, gut sichtbar für jedermann. »Probleme ohne Ende«, murmelte sie. »Mist!«

»Sie holen es wirklich!«, keuchte Guddie. Sie hatte sich gegen die Wand gepresst und spähte um die Ecke in den Miletsaal. »Sieh dir das an, Dags! Die müssen das alles schon im Lauf des Tages reingeschafft haben. Aus den Lastwagen, die draußen stehen.«

Dags sah vorsichtig über Guddies Schulter hinweg. Sie war auf alles vorbereitet gewesen und doch verschlug der Anblick ihr den Atem. »Wahnsinn!«, flüsterte sie.

Hektische Aktivität erfüllte den Saal. Es mussten an die zwanzig Männer sein, die darin herumliefen, ihre Gesichter blass im Licht der kräftigen, auf hohen Stativen angebrachten Scheinwerfer. An den Wänden tanzten scharf begrenzte Schatten. Selbst wenn sie einen weniger lichtempfindlichen Film gekauft hätte, dachte Dags, wäre ein Blitzlicht zum Fotografieren nicht nötig gewesen.

Auf der Treppe in der Mitte des Tors von Milet, direkt vor dem Durchgang zum Südflügel, war eine von Holzklötzen gestützte Rampe gebaut worden. Ein Gabelstapler mit summendem Elektromotor fuhr sie soeben hinunter, beladen mit einem der blauen Container, die sie draußen vom Park aus gesehen hatten. Der Fahrer manövrierte sein Gerät geschickt um ein den Boden bedeckendes Mosaik herum, dessen Ränder mit Sicherheitsband markiert worden waren, und lud den Container an der hinteren Wand des Saals ab.

Doch es war der linke Teil des Tors, der das Zentrum der Betriebsamkeit bildete. Vor einem bis unter die Decke reichenden Gerüst waren zwei ebenso hohe Seilwinden aufgebaut worden. Mit Hämmern, Bohrern und Meißeln bewaffnete Männer turnten über das Gerüst, und an einer der Seilwinden wurde soeben der Giebel herabgelassen, den man vom Seitenflügel des Tors genommen hatte.

Das erste der drei Dreiecke …

Dags schoss ein Foto nach dem anderen, von dem Container, der Rampe, dem Gerüst, der Seilwinde und dem daran hängenden Giebel, der langsam nach unten sank. Befriedigt registrierte sie, dass die Kamera tatsächlich völlig geräuschlos arbeitete. Nicht einmal das Klicken des Verschlusses war zu hören. Sie hielt mit dem Fotografieren erst inne, als Guddie ihr auf die Schulter tippte. »Da sind sie!«

An der gegenüberliegenden Wand waren Griffith und Röhricher in ihr Blickfeld getreten. Sie standen vor dem Container, den zwei Arbeiter gerade öffneten. Dags knipste zwei Fotos von ihnen, obwohl nur die Rücken der Männer zu sehen waren. »Siehst du den Glatzkopf?«, fragte sie Guddie.

»Nein.«

Die letzten Riegel des Containers waren gelöst worden. Röhricher und Griffith selbst halfen mit die Seitenwände herunterzuklappen, und was dahinter zum Vorschein kam …

»Hey, was ist das denn?«, flüsterte Guddie. »Verstehst du das?«

Dags schüttelte verwirrt den Kopf. Das Giebelstück, das in dem Container verborgen gewesen war, schien eine exakte Kopie des Stückes zu sein, das an der Seilwinde hing.

Sie zog sich mit gerunzelter Stirn wieder zurück, sah in Guddies fragendes Gesicht, von dort auf den blass schimmernden Pergamonaltar und überlegte. Und dann ging ihr ein Licht auf.

Es *war* eine Kopie!

»Sie stehlen das Tor nicht einfach, sie tauschen es aus«, wisperte sie. »Genial! Später wird kein Mensch merken, dass das Original nicht mehr im Museum steht. *Niemand wird wissen, dass hier ein Diebstahl begangen wurde!*«

Sie konnte sich vorstellen, wie in ganz Amerika die Telefondrähte gesurrt hatten, als Griffith ein Team von Spezialisten anheuerte, um eine exakte Kopie des Tors herstellen zu lassen. Und wie Röhricher seinen Teil dazu beigetragen hatte, indem er Griffith die Kataloge voller Fotos zur Verfügung stellte, auf denen jeder einzelne Baustein des Tors von Milet dokumentiert war. Kataloge, die im Besitz des Museums waren. Das Vorhaben musste die beiden Männer Unsummen an Zeit und Griffith ein Vermögen gekostet haben! Nur …

»Das ist doch bescheuert«, flüsterte sie. »Wenn Griffith sich die Mühe gemacht hat, eine originalgetreue Kopie des Tors anfertigen zu lassen, hätte er sie doch gleich behalten können.«

Guddie schüttelte energisch den Kopf. »Nein, er will das echte Tor! Oh, das ist … Als Olaf und ich bei Bernd Wörlitzer waren, hat er uns etwas über die Aura eines Kunstwerks erzählt. Darüber, dass die Kopie eines Bildes oder –«

»Erklär mir das später, ja?«, unterbrach Dags sie ungeduldig. Sie warf einen Blick auf ihre Uhr. Eine Minute vor zwölf – seit sie über das Gittertor am Neuen Museum geklettert waren, war fast eine Stunde vergangen. Sie sah zum Eingang des gegenüberliegenden Saals hinüber, hinter dem Olaf auf sie und Guddie wartete. Höchste Zeit, sich aus dem Staub zu machen, bevor er noch einem völligen Nervenzusammenbruch erlag.

»Ich mache noch ein paar Fotos und dann hauen wir ab«, flüsterte sie.

»Du hast doch Fotos genug!«

»Nur von der Seite und keins, wo Röhricher richtig drauf zu sehen ist.«

»Du willst doch wohl nicht etwa da reingehen?«, sagte Guddie besorgt. »Wenn dich jemand sieht …«

»Nur zwei oder drei Schritte«, beharrte Dags. »Dann krieg ich auch das Tor von vorne drauf.«

»Bist du verrückt geworden?«

Als spürte er, dass sie etwas Gefährliches vorhatte, wurde jetzt auch noch Romeo unruhig und begann zu zappeln. Dags griff in die Jacke und zog den Reißverschluss über der Innentasche zu. Ein solcher Ausrutscher wie im Kempinski würde ihr nicht noch einmal passieren.

»Dags!« Guddie griff nach ihrem Arm.

»Lass mich los!« Sie schüttelte die Hand ab, spähte um die Ecke, vergewisserte sich, dass alle Aufmerksamkeit auf das Abseilen des Giebels gerichtet war, und glitt rasch in den Gang, die Kamera im Anschlag. Zum Teufel mit Guddie und ihrer Panik!

Ein vorsichtiger Schritt nach links …

Sie ging in die Hocke, schoss zwei Bilder vom linken Flügel des Tors, auf denen auch die Seilwinde in voller Höhe zu sehen war, und erhob sich wieder.

Ein weiterer Schritt …

Zwei Fotos von Griffith und Röhricher im Profil, die sich vor der Kopie des Giebels mit einem der Arbeiter unterhielten. Beide lachten. Wenn sie sich jetzt umdrehten, würden sie Dags sehen. Schnell …

Ein letzter Schritt …

Drei weitere Fotos der beiden Männer, die zufrieden nickten, sich direkt vor das Tor stellten und mit ausgreifenden Handbewegungen die nächste Phase des Abbaus beschrieben. Und noch ein Bild, das endgültig letzte.

Sie zuckte zusammen, als ein deutlich vernehmbares Klicken ertönte. Der Motor der Kamera begann laut zu surren, als er automatisch den vollgeknipsten Film zurückspulte. Erschrocken sah Dags auf.

Verdammt, warum macht dieses Ding …

Sie fühlte den Schatten, noch ehe sie ihn tatsächlich von der Seite auf sich zugleiten sah. Dann wurde sie gepackt und nach vorne gezerrt. Mit einem Keuchen stürzte sie auf die Knie, verlor das Gleichgewicht und ließ sich geistesgegenwärtig zur Seite kippen, bevor sie auf den Bauch fallen und Romeo dabei zerquetschen konnte.

»Dags!«

»Lauf, Guddie!«

Ein Krachen ertönte, als ihr die Kamera aus den Händen fiel, auf dem Boden landete und fortschlitterte. Dags sah nur noch einzelne Bilder, verzerrt, verschwommen und zerrissen. Sie sah Guddie, die wie in Zeitlupe die Kamera aufhob. Sie sah den Glatzkopf, der sich mit hasserfüllten Augen vor ihr auftürmte. Sie sah ihre eigenen Hände, als sie sich am Boden abstützte, auf die Knie hievte und nach vorn schnellte. Dann umklammerte sie das linke Bein des Mannes, hielt sich daran fest und biss zu. Ihre Zähne versanken in filzigem Stoff und trafen auf weiches Fleisch. Sie hörte sich rasch entfernende Schritte, aufgeregte Schreie und das Rauschen des Blutes in ihren Ohren.

Lauf, Guddie!!!

Dags schrie auf, als der Glatzkopf ihr in die Haare fasste und ihren Kopf zurückriss. Sein Gesicht war leblos und starr wie das einer Puppe aus dem Wachsfigurenkabinett. Dann sauste eine Faust auf sie herab. Ihr letzter Gedanke war, dass dies der dritte Schlag auf den Kopf war, den sie heute erhielt. Es war auch der heftigste. Die Welt ging unter in einem schmerzhaften, roten Blitz.

Kapitel 15
Julia und Romeo

Der Durchgang in den Miletsaal rahmte das Geschehen ein wie die Wände einer Theaterbühne. Doch das Schauspiel auf dieser Bühne war Wirklichkeit und so schrecklich, dass Guddies Herz zu einem Eisklumpen gefror. Sie schrie laut auf, als der Glatzkopf wie aus der Luft gewachsen hinter Dags auftauchte und sie zu Boden schleuderte.

»Dags!«

Sie sah die weit aufgerissenen Augen aufblitzen, braun und blau, als Dags zur Seite fiel. Mit einem Krachen landete die Kamera auf dem spiegelglatten Marmorboden und schlitterte auf sie zu. Der Glatzkopf zögerte, unentschlossen, ob er sich weiter um Dags kümmern oder sich sofort auf Guddie stürzen sollte.

»*Lauf, Guddie!*«

Sie bückte sich und ergriff die Kamera, sah noch, wie Dags sich aufrappelte, nach vorn katapultierte und die Beine des Glatzkopfes umklammerte, dann wirbelte sie herum und rannte. Der Pergamonaltar flog an ihr vorbei, sie hörte, wie Dags einen Schrei ausstieß, und schon schoss sie durch den Eingang des nächsten Saals, in dem sie Olaf zurückgelassen hatten. Gehetzt sah sie sich um.

»Olaf?«

Nichts. Nur das wispernde Echo ihrer Stimme, das der Decke des Saals entgegenschwebte. Olaf war verschwunden, hatte sie und Dags …

Er hat mich im Stich gelassen!

Nein! Nein, er war davongelaufen, um die Polizei zu verständigen, wie er es gesagt hatte. Er musste gesehen haben, wie Dags mit dem Glatzkopf kämpfte, und dann war er davongelaufen. Er hätte sie niemals im Stich gelassen. Er hatte sie *geküsst,* verdammt noch mal! Und dennoch …

Die Enttäuschung nagelte Guddie am Boden fest. Wertvolle Sekunden verstrichen, in denen sie bewegungslos den schnell näher kommenden Schritten aus dem Pergamonsaal lauschte. Bis sie sich endlich zusammengerissen hatte, war es beinahe zu spät. Sie schüttelte sich und rannte weiter, aus dem Saal hinaus in den rechten Teil des Nordflügels, aber schon als sie den ersten Ausstellungsraum hinter sich gelassen hatte, wusste sie, dass sie es niemals rechtzeitig bis zur Treppe schaffen würde. Die Verfolger waren zu schnell.

Sie werden mich kriegen!

Bevor dieser Gedanke sie vollständig lähmen konnte, hatte sie bereits damit begonnen, im Laufen ihr T-Shirt auszuziehen. Es war schwierig, das mit der Kamera in einer

Hand zu bewerkstelligen, aber es gelang ihr. Unter dem T-Shirt war sie nackt und was sie in jeder anderen Situation mit Unbehagen erfüllt hätte, war ihr in diesem Moment willkommen. Die meisten der Statuen waren nackt.

Bloß schnell jetzt!

Sie hastete auf die lebensgroße Statue einer Frau zu, die in tiefem Schatten an der Wand stand und mit ausgestreckten Armen nach dem Licht zu greifen schien, das von außen durch die Fenster fiel. In fliegender Hast kletterte Guddie zu ihr auf den halbhohen Sockel, kniete neben ihr nieder und bedeckte ihre Jeans und die Kamera mit dem T-Shirt. Sie hob den Kopf an, streckte das Kinn nach vorn und legte beide Arme um die Beine der Statue. Kalter Stein ...

Dann waren die Männer da, drei oder vier von ihnen. Ihre verzerrten Schatten eilten ihnen voraus und Guddie schloss die Augen. Sie hörte das Gleiten von Schritten, erst vor ihr, jetzt neben ihr ... und dann waren die Männer vorbeigelaufen und sie war wieder allein, eine Statue unter Statuen.

Guddie blinzelte und bewegte den Kopf. Ihr Blick fiel auf das stille Heer der Figuren, auf die Fenster und die kahlen Wände, doch darüber legte sich ein anderes Bild, der Grundriss des Nordflügels. Sie wusste, dass eine Mittelwand ihn in zwei parallel zueinander verlaufende Gänge teilte, die beide in die Ausstellungshalle am unteren Ende mündeten – dort, wo die Treppe hinab in den

Keller führte. Sie selbst befand sich an der Außenseite des Flügels. Wenn die Männer gerade an der Innenseite zurückliefen …

Mit zitternden Händen zog sie ihr T-Shirt über den Kopf, hängte sich die Kamera um den Hals und stieg von dem Sockel herab. Den Weg bis zur Ausstellungshalle legte sie auf Zehenspitzen zurück. Erst als sie dort angekommen war, vorsichtig in das Zwielicht hinausgespäht und niemanden gesehen hatte, rannte sie los. Ihre Füße berührten kaum die Stufen, als sie die Treppe hinunterstürmte.

Sie hatte das Erdgeschoss bereits passiert und den Keller fast erreicht, als ihr auffiel, dass die Wände des Treppenhauses nicht nur von ihren eigenen Schritten widerhallten. Jemand hatte sie gehört oder gesehen. Sie waren wieder hinter ihr her!

Sie sprang die letzten Stufen in den Korridor des Kellers hinunter. Der Rucksack und die Taschenlampe, die sie am Fuß der Treppe liegen gelassen hatten, waren nicht mehr dort. Olaf musste sie mitgenommen haben, genauso wie ihre Jacke. Guddie hetzte weiter. Hier unten gab es keine Fenster, sie war so gut wie blind und nur einem eisig kalten Luftzug war es zu verdanken, dass sie nicht an der offen stehenden Kellertür vorbeilief. Sie schlüpfte hinein und warf die Tür hinter sich zu, drehte sich um – und schrie zu Tode erschrocken auf, als ein greller Lichtstrahl sie blendete.

Olaf hockte zusammengekauert vor der Wandtür, ihre Jacke um die Schultern gelegt, den Rucksack in einer Hand, die flackernde Taschenlampe in der anderen. Er musste gestürzt sein, denn seine Kleidung und seine Haare waren nass, nass und schmutzig von der braunen Brühe, die in breiten Schlieren sein Gesicht herablief und von seinem Kinn auf seine Knie tropfte. Und er weinte. Er saß einfach da und weinte lautlos und sein Blick war so verzweifelt, dass Guddie einen Stich in ihrem Herzen verspürte, als sie durch das platschende Wasser auf ihn zulief.

»Sie geht nicht auf«, jammerte er leise. »Sie geht nicht auf, sie klemmt. Wo ist Dags?«

»Später«, keuchte Guddie. »Hilf mir!«

Einen Moment lang befürchtete sie, Olaf würde sich nicht bewegen. Dann ließ er Rucksack und Taschenlampe los, erhob sich und drückte gemeinsam mit ihr gegen die Mauer. Langsam und widerstrebend schwang die Tür ein Stück nach hinten auf, und über das Knirschen der kleinen Steine, die sich unter dem Rahmen festgesetzt hatten, erhob sich Olafs klagendes Wimmern. »Ich hab alles verpatzt, ich hätte es dir von Anfang an sagen müssen, ich wollte dich beschützen, aber ich hab immer mehr Angst bekommen und –«

Sagen müssen – was? Und Angst – wovor?

»Um Gottes willen, Olaf, wir haben keine Zeit!«

Sie schob ihn im selben Moment durch die enge Öffnung in der Wand, als hinter ihnen donnernd die Kellertür aufflog. In panischer Hast ergriff sie die Taschenlampe, deren aufgeschreckter Lichtstrahl kurz über die drei Männer zuckte, die durch aufspritzendes Wasser auf sie zustürmten. *Vergiss deinen Rucksack!* Brennender Schmerz schoss in ihren linken Arm, als sie sich durch die Tür quetschte und dabei von der Hand bis zum Ellbogen die Haut abschürfte.

»Zudrücken!«, zischte sie. Neben ihr warf Olaf sich gegen die Tür, die nach kurzem Zögern zuschwang. Ein Zittern der Erleichterung überlief Guddie, als der alte Federmechanismus mit einem leisen Knacken einrastete. Bruchteile von Sekunden darauf ertönten von der anderen Seite der Wand dumpfe Schläge.

»Wenn sie bloß nicht den Stein zum Öffnen finden«, wisperte sie. Mit etwas Glück lag er hinter den Rohren, gegen die Dags gestoßen war. Arme Dags …! Sie holte tief Luft, ignorierte das Brennen an ihrem Arm, wischte sich über die Stirn und wandte sich um. »Und jetzt …«

Olaf war nicht mehr da. Sie hob die Taschenlampe an, ließ den Strahl in die tiefe Schwärze des Ganges wandern und sah ihn in zehn Meter Entfernung davonhasten. Sie wollte ihm nachrufen, dass es keinen Grund mehr gab zu rennen, weil die Schläge der Männer aufgehört hatten, dass er darauf achten sollte, wo er hintrat, weil der Boden –

O Gott, der Boden!

»Olaf, bleib stehen! Die Löcher!«

Ihre Warnung kam zu spät, viel zu spät. Im Schein der Taschenlampe beobachtete Guddie entsetzt, wie Olaf stolperte und die Arme hochriss. Er gab keinen Laut von sich, als seine Beine plötzlich ruckartig verschwanden, dann sein Rücken und sein Kopf mit den braunen Locken, und schließlich seine Hände, die nur noch ins Leere griffen. Alles, was Guddie hörte, war ein weit entferntes Grollen, als der Kolk Olaf verschluckte wie Treibsand.

Dags schwebte. Sie trudelte durch die uferlose, dunkle Leere wie ein welkes Blatt im Herbstwind. Es gab nichts, woran sie sich festhalten konnte, nichts, das ihren Fall bremste. O ja, sie schwebte …

Und ihr war schlecht. Ihr Körper war taub, gefühllos bis auf eine schmerzhaft pochende Stelle irgendwo an ihrem Hinterkopf.

Sie spürte ein leichtes Vibrieren, hörte ein weit entferntes Brummen, wie sie es von früher kannte, wenn sie mit ihren Eltern in Urlaub gefahren und auf dem Rücksitz des Autos eingeschlafen war.

Ein Auto …?

Es kostete sie alle Kraft, ihren Augen den Befehl zu geben, sich zu öffnen, und selbst dann gelang ihr nur ein kurzer Blick wie durch dichten Nebel, der sich lichtet und gleich darauf wieder schließt. Ihr war so schlecht …

Sie kannte das Gesicht des Mannes mit den traurigen braunen Augen, das über ihr in der Luft hing. Licht und Schatten huschten darüber hinweg und die Schatten waren so verlockend, versprachen so viel Ruhe. Mervyn Griffith, dachte Dags, bevor die Dunkelheit wieder über ihr zusammenschwappte und ihre Gedanken zerstoben.

Guddie hätte den Nachtwächter am liebsten bei den Schultern gepackt und geschüttelt. Sie wusste, dass sie ihn erschreckt hatte, dass sie ausgesehen haben musste wie ein Gespenst, als sie den Erdwall hinaufgeklettert und auf sein Häuschen zugestolpert war, zerschunden und schmutzig, mit wirrem Haar, der linke Arm blutig. Doch inzwischen hatte sie diesem Mann schon zweimal erklärt, warum sie hier war, ohne dass er reagiert hatte. Kostbare Zeit war vergangen und jetzt war sie mit ihrer Geduld am Ende.

»Erzähl mir das noch mal, Kindchen.«

»Es wird beraubt!«, schrie sie. »Das Pergamonmuseum wird beraubt und mein Freund steckt irgendwo unter der Erde in einem Loch fest und stirbt vielleicht! *Also rufen Sie endlich die Polizei an!*«

Verzweifelt blickte sie durch den kleinen, von trübem gelbem Licht erfüllten Wagen, in dem der alte Mann die Stunden bis zum Morgengrauen verbrachte. Auf einem wackeligen Tisch, vor dem verschmutzten Fenster, lagen

ein halbes Brot auf säuberlich ausgefaltetem Pergament-
papier, ein aufgeschlagenes Rätselheft, ein Bleistift und
eine Lesebrille. Daneben stand eine grüne Thermosfla-
sche – und das Telefon.

»Bitte!«, flehte sie leise.

Endlich nahm der Mann den Hörer ab und tippte die
Nummer des Notrufs ein. Er sprach mit leiser Stimme
und ließ Guddie dabei keine Sekunde aus den Augen. Sie
verstand nichts von dem, was er sagte. Ein einziger Gedanke schoss ihr immer wieder durch den Kopf: Fünf
Meter! Er ist mindestens fünf Meter tief gefallen!

Sie war Olaf nachgelaufen, dort unten im Kolk, und
hatte sich über den bröckelnden Rand des Loches im Boden gebeugt, wohl wissend, dass auch sie selbst abstürzen
könnte. Sie hatte mit der Taschenlampe in den Abgrund
geleuchtet und zunächst nichts gesehen, nur Finsternis –
bis sie eine Bewegung bemerkte, tief unten, wo etwas
Weißes sich ihr entgegenstreckte. Olafs Hand. Nur seine
Hand, sonst nichts.

»Olaf? Hörst du mich?«

»Guddie?« So schwach, so leise, so … verletzt.

»Ja? Ich bin hier!«

»Ich hab … mir was gebrochen, glaube ich.«

»Bleib ganz ruhig liegen. Ich hole sofort Hilfe.«

»Und … Bernd.«

Sie hatte nicht gleich begriffen, dass er Bernd Wörlitzer meinte. Und erst nachdem sie ihm versprochen hatte

den Fotografen anzurufen, erst auf dem Weg durch Ludwig Hoffmanns verfluchten Geheimgang in den Keller des Neuen Museums, war ihr aufgefallen, dass Olaf nur den Vornamen des Mannes benutzt hatte.

»Sie kommen«, sagte der Nachtwächter. »Polizei, Krankenwagen, Feuerwehr.« Er legte den Hörer auf und musterte Guddie von oben bis unten, die Stirn in tausend Falten gelegt. Sie musste ein fürchterliches Bild abgeben. »Ich hoffe, du hast mich nicht verschaukelt, Kindchen. Das könnte mich meinen Job kosten.«

»Kann ich auch mal telefonieren?«, gab Guddie an Stelle einer Antwort zurück. Der Mann zuckte bloß resigniert mit den Achseln und nickte.

Ihre Finger zitterten, als sie im Telefonbuch die Nummer des Fotografen heraussuchte. Samstagnacht, halb Berlin war auf den Beinen … Sie betete, dass Wörlitzer oder wenigstens Stefan zu Hause war. Sie wusste nicht, was sie auf einen Anrufbeantworter sprechen sollte. Das Freizeichen am anderen Ende der Leitung erklang zweimal, bevor abgenommen wurde.

»Hallo?«

»Bernd Wörlitzer?«

»Ja.«

Gott sei Dank!

»Hier ist Gudrun Berger. Ich war –«

»Ich weiß. Guddie. Du warst mit Olaf …« Er stockte, weil ihm aufgefallen sein musste, wie ungewöhnlich es war, dass er mitten in der Nacht von ihr angerufen wurde. »Ist euch was passiert?«, fragte er besorgt.

Sie unterdrückte die Tränen, die ihr plötzlich in die Augen schossen. »Ja. Es ist … Olaf ist verletzt und ich warte auf die Polizei und …« Sie schluchzte. »Er möchte, dass Sie auch kommen, ich hab Angst, dass er stirbt. Es ist wegen Griffith, wissen Sie?«

Bernd Wörlitzer wusste nichts, aber er *verstand,* und nachdem sie ihm erklärt hatte, wo sie war, versprach er sofort loszufahren. Als sie aufgelegt hatte, fühlte sie sich etwas besser. Sie wischte sich über die Nase und strich sich ihre von Schweiß verklebten Haare aus der Stirn. Der Nachtwächter starrte sie noch immer an.

»Kommen Sie mit«, sagte sie entschlossen. Sie führte ihn über die Baustelle, hinab in den Keller, bis vor die Wandtür, die immer noch offen stand. Ein paar kleine Nachtfalter umschwirrten die Taschenlampe, die sie nicht ausgemacht und dort liegen gelassen hatte. Guddie bemerkte, dass der Lichtstrahl schwächer geworden war. »Wenn die Polizei kommt und der Krankenwagen, bringen Sie sie hierher? Ich gehe zurück zu meinem Freund.«

Der Nachtwächter schüttelte den Kopf. »Ich kann dich da nicht mehr runterlassen! Wenn der Boden dort unten wirklich so nachgiebig ist, wie du —«

»Ich gehe zurück zu meinem Freund!«

Guddies Schrei war so laut, dass die Kellerwände davon widerhallten. Sie wusste nicht, was es war, das sich auf ihrem Gesicht abzeichnete, doch der Mann kniff erschreckt die Augen zusammen und zuckte vor ihr zurück. Ohne ihn weiter zu beachten, ergriff sie die Taschenlampe und stieg die Treppe hinab in den Kolk. Sie bewegte sich wie im Traum durch den Gang, geleitet von dem matten Lichtstrahl, bis sie den trügerisch kleinen Spalt im Boden erreicht hatte, in den Olaf eingebrochen war.

»Hörst du mich, Olaf? Ich bin wieder da.«

»Gut.« Sehr leise.

»Bald wird jemand kommen. Auch Bernd.«

»Ah … danke.«

»Hast du Schmerzen?«

»Ja. Aber ich muss … ich muss dir was sagen, Guddie. Hörst du mir zu?«

»Ja.«

Sie saß in der Kälte, fröstelnd, die Arme um die Knie geschlungen, und hörte Olaf schweigend zu, als er von seinen Eltern erzählte, von seinen Diebstählen, von seiner Angst, dafür in ein Internat gesteckt zu werden. Zwischen den Sätzen machte er Pausen, in denen er Kraft sammelte, um weitersprechen zu können.

»Weißt du noch, als wir uns … kennengelernt haben? Du hast gesagt, du würdest Diebe hassen.«

»Ja. Aber das war doch nicht –«

»Das mit dem Klauen, das macht wirklich keinen Spaß, weißt du? Nicht so wie …« Ein unheimliches kleines Geräusch stieg aus der Tiefe herauf und breitete sich wellenförmig um sie aus, als er hustete. »Nicht wie Röhricher und Griffith. Ich will nicht so werden wie sie. Die ganze Zeit musste ich daran denken, schon vorhin, als wir noch im Neuen Museum waren. Ich hab solche Angst gekriegt, mir wurde ganz schlecht … Wenn ich so werde wie sie …«

Seine Stimme war nur noch ein kaum wahrnehmbares Flüstern.

»Du bist nicht so wie sie«, versicherte ihm Guddie. Wo blieb die verdammte Polizei?

»Guddie?«

»Ich bin noch hier. Ich bleibe bei dir.«

»Bist du … bist du mir … jetzt böse?«

»Nein«, flüsterte sie zurück.

Ein einfaches Nein, doch es umschloss so viel. Sie hoffte, Olaf würde es bemerken. Es war ihr nicht unbedingt gleichgültig, ob er ein Dieb war oder nicht. Doch sie glaubte ihm, dass er nicht stahl, um sich die Zeit zu vertreiben. Warum bloß hatte er ihr nicht vertraut? Warum hatte er diesen einen blödsinnigen Satz von ihr so ernst genommen, einen Satz, an den sie sich nicht einmal richtig erinnern konnte?

»Olaf?«, rief sie hinab in die Schwärze.

Keine Antwort.

Guddie schloss die Augen. Sie dachte an ihre Mutter und an Dags, sie dachte an Olafs weiße Hand in der Dunkelheit und dann spürte sie den salzigen Geschmack von Tränen auf ihren Lippen. Alles, alles war so entsetzlich schiefgegangen. Sie weinte noch immer, als flackerndes Licht die Wände erhellte, der Nachtwächter die Rettungsmannschaft durch den Kolk führte und sie sich in Bernd Wörlitzers Arme warf.

〰〰

Dags hörte ein entferntes Rauschen. Sie fühlte ein leichtes Schlingern, spürte ein Kribbeln, ein Wispern, eine Berührung …

»Nein!«

Sie schlug heftig um sich und wünschte sich sofort, sie hätte es gelassen. Der Schmerz in ihrem Kopf schwappte hin und her wie Wasser in einem Goldfischglas. Etwas strampelte in ihrer Jacke – Romeo. Er war es, der sie geweckt hatte. Gut. Vorsichtig setzte sie sich auf, öffnete die Augen und sah …

Nichts. Um sie herum herrschte absolute, alles umfassende Dunkelheit. Sie streckte erneut die Hände aus, ertastete eine Wand in ihrem Rücken und lehnte sich dagegen. »Verdammt«, murmelte sie. »Bin ich blind oder was?«

»Die Augen gewöhnen sich daran. Nach einer Weile.«

Dags schrie auf, als die Männerstimme erklang. Doch trotz des Schocks darüber, dass sie nicht allein war, registrierte sie, dass die Wände ihren Schrei nicht zurückwarfen. Wo auch immer sie sich befand, es konnte kein großer Raum sein.

»Hab keine Angst«, sagte die Stimme. »Wie heißt du?«

»Dagmar.«

»Gut, Dagmar. Ich komme jetzt zu dir rüber.«

Sie hörte ein scheuerndes Geräusch, als jemand über den feuchtkalten Boden auf sie zukroch. Ihr Herz verkrampfte sich vor Furcht. »Wer … Wer sind Sie?«

»Michael Bergfeld.« Ein unangenehmer Geruch stieg ihr in die Nase – saurer Schweiß. Der Mann saß jetzt neben ihr an der Wand. »Persönlicher Referent des allseits geschätzten Kultursenators Helmut Röhricher«, lachte er leise. »Ich genieße das zweifelhafte Vergnügen dieser luxuriösen Unterkunft schon etwas länger als du.«

Der Mann im hellgrauen Anzug!

»Wie bist du hierhergekommen, Dagmar?«

»Das frag ich mich auch.« Die Erinnerung an eine lang zurückliegende Fahrt in den Urlaub blitzte kurz auf und irritierte sie. Sie runzelte die Stirn und überlegte. »Ich war im Pergamonmuseum. Ich hab sie beim Abbau des Tores beobachtet. Da haben sie mich erwischt und mir eins verpasst.«

»Du warst im Museum!« Michael Bergfelds Stimme kippte um und überschlug sich vor Aufregung. Sie fühlte, wie er ihren Arm ergriff. »Dann musst du das Mädchen sein, das ich –«

»Nein, bin ich nicht!« Plötzlich kochte heiße Wut in Dags auf und sie schüttelte die Hand des Mannes ab. »Ich bin ihre … ihre *persönliche Freundin*. Insgesamt sind wir zu dritt, wir haben rausgefunden, was Ihr blöder kleiner Zettel zu bedeuten hatte, und jetzt stecken wir alle in der Scheiße und Sie sind schuld. Vielen Dank auch!«

»Kinder …« Das Flüstern versickerte langsam in der Dunkelheit. »Mein Gott, wart ihr nicht bei der Polizei?«

»Natürlich waren wir bei der Polizei, aber der Beamte war zu sehr mit seinem Haarausfall beschäftigt! Also haben wir die Sache selbst in die Hand genommen.«

Und ich hab alles versiebt, weil ich nicht aufgepasst habe, und weiß der Geier, wie es Guddie und Olaf geht …

»Kinder!«, flüsterte Bergfeld erneut.

Das Wort hing lange in der Luft. Es schien sich auszudehnen und immer größer zu werden, wie ein mit Gas gefüllter Ballon. Dags entschied, dass Bergfeld ihr, wenigstens für den Moment, den Buckel runterrutschen konnte. Sie griff in ihre Jacke, zog den Reißverschluss der Innentasche auf und holte Romeo heraus. Wie gut es tat, sein warmes Fell unter den Händen zu fühlen, seine zitternden Barthaare an ihrer Wange zu spüren, sein leises Schnüffeln zu hören. Dann verspürte sie wieder das leichte Schlingern. »Wo sind wir hier?«, fragte sie.

»Auf einem Schiff«, sagte Bergfeld. »Ich schätze, wir befinden uns im Westhafen. Wahrscheinlich bringen sie das Tor hierher, weil es leichter ist, es so außer Landes zu schaffen als mit dem Flugzeug. Weniger Kontrollen.«

»Und bessere Entsorgungsmöglichkeiten«, sagte Dags düster. »Die machen uns kalt, sobald wir auf dem Ozean rumschippern. Ich habe gehört, wie Griffith es am Telefon zu Röhricher sagte. Das heißt, da ging es nur um Sie, aber inzwischen …«

Bergfeld schwieg. Erst jetzt fiel Dags der *andere* Gestank auf, der über dem Raum hing, und plötzlich tat er ihr leid. Der Mann war seit Tagen eingesperrt und die Mistkerle hatten ihn nicht mal eine Toilette benutzen lassen! Ihre Wut verrauchte so schnell, wie sie gekommen war. »Sie haben nicht zufällig ein Stück Schokolade?«, fragte sie etwas friedfertiger.

»Es gibt hier nichts zu essen. Nur Wasser.«

Reizend! Das versprach genau die Art von Kreuzfahrt zu werden, von der sie schon immer geträumt hatte. Alle ihre Freunde würden sie darum beneiden.

»Was für ein Tag ist heute?«, fragte Bergfeld.

»Samstag«, sagte Dags missmutig. Der Kopfschmerz, der eben erst in den Hintergrund gerückt war, hatte wieder zu puckern begonnen. »Das heißt eigentlich schon Sonntag. Mitten in der Nacht.«

Woher kommt dann das Licht?

Bergfeld hatte Recht, ihre Augen gewöhnten sich an die Dunkelheit. Sie nahm seine schemenhaften Umrisse neben sich wahr, sah sich suchend um und entdeckte rechts von sich einen Spalt über dem Boden, durch den schwaches Licht fiel. Er befand sich im Rahmen der Tür, die ihre Zelle verschloss, und war kaum größer als ein Mauseloch. Sie beugte sich zur Seite und steckte einen Finger hinein.

»Ein Raum hinter der Tür«, sagte Bergfeld. »Mit Tisch

und Stuhl, mehr nicht. Normalerweise hält der Wärter sich darin auf.« Er räusperte sich. »Griffith ist mit ihm weggegangen, nachdem er dich hier abgeliefert hat, aber sie werden nicht weit sein.«

»Griffith.« Dags zog ihren Finger zurück. »Wie haben *Sie* rausgekriegt, dass er und Röhricher das Tor klauen wollen?«

»Es war nicht so schwer. Man bekommt eine Menge mit, wenn man sich ständig in der Nähe eines Menschen aufhält. Fetzen von Telefongesprächen. Briefe und Notizen, die nicht rechtzeitig vernichtet werden … Ich wusste, dass Röhricher eine große Sache plante. Ab und zu sah ich Unterlagen über das Pergamonmuseum und er entwickelte ein auffälliges Interesse am Hausvogteiplatz und den dort gelegenen Grundstücken.«

»Trotzdem ist es schwer, da eine Verbindung zu −«

»Ich weiß, ich weiß. Und anfangs hatte ich auch keine Ahnung, mit wem Röhricher zusammenarbeitete oder um was genau es ging. Ich zermarterte mir den Kopf. Am Mittwoch fand ich dann den Zettel.«

»Röhricher hat ihn geschrieben?«

»Ja. Sehr unachtsam von ihm. Und idiotisch von *mir,* ihn zu entwenden. Noch idiotischer, keinem von meinem Verdacht zu erzählen. Jedenfalls hat Röhricher es sofort gemerkt. Bis ich im Kempinski herausgefunden hatte, dass Griffith in der Stadt ist, und dann beschloss dem Zickzackmuster auf den Grund zu gehen …«

»… hatte Röhricher schon Griffiths Bulldoggen auf Sie angesetzt«, beendete Dags den Satz. Sie kraulte Romeo hinter den Ohren. Ja, so oder ähnlich hatte sie sich das Ganze vorgestellt.

»Ich verstehe nur nicht«, sagte Bergfeld nach einer Weile, »warum Griffith das Tor überhaupt will.«

»Als Hochzeitsgeschenk für seine zukünftige Frau«, sagte Dags knapp. Eine kurze Pause entstand und dann lachten sie beide, laut und anhaltend. Es tat gut, zu lachen. Hunderte kleiner Muskeln, die sie zuvor nie gespürt hatte, entspannten sich.

Bergfelds Lachen brach abrupt ab. »Ich glaube, wir bekommen Besuch«, sagte er.

Draußen näherten sich Schritte. Dags spannte sich unwillkürlich wieder an und drückte ihren Rücken fester gegen die Wand. Ein Stuhl wurde zur Seite gerückt, dann erklang ein leises, kaum hörbares Schaben. Jemand musste etwas von dem Tisch genommen haben, etwas Kleines, das …

Den Schlüssel!

In ihrem Kopf begann es zu arbeiten. Sie hob Romeo rasch auf eine Schulter, griff sich mit beiden Händen in den Nacken und schüttelte ihre Locken nach vorn. Wenn überhaupt, sah man von der Ratte jetzt nur noch die Spitze der Schnauze.

»Pass auf den Wärter auf«, zischte Bergfeld, als die Tür aufgestoßen wurde. »Er ist brutal.«

Blendende Helligkeit fiel in den Raum, enthüllte einen schmutzigen Boden und eiserne Wände. Dags drehte blinzelnd ihren Kopf zur Seite und sah Michael Bergfeld. Er bot ein abschreckendes Bild – die Haare stumpf und fettig, unter den Augen tiefe dunkle Ringe, eingefallene Wangen, aufgeplatzte Lippen, das Gesicht voller Bartstoppeln. Trotzdem hätte sie ihn für das ermutigende Lächeln, das er ihr schenkte, am liebsten geküsst.

»So here we are, little one.«

Griffith war der kleinere der beiden Männer, die die Zelle betreten hatten. Der andere, ein bulliger Typ mit kurz geschorenen Haaren und schweren Stiefeln, musste der Wärter sein. Um seinen Zeigefinger rotierte ein an einer kurzen roten Kordel befestigter Schlüssel. Ein dümmliches Grinsen umspielte seine Mundwinkel.

Griffith beugte sich über sie und das Erste, was sie bemerkte, war der Geruch des herben Rasierwassers, der ihr schon im Kempinski aufgefallen war. Es war schwer, in seinem Gesicht nach Anzeichen dafür zu forschen, was er dachte. Griffith stand im Gegenlicht und um seine braunen, melancholischen Augen lagen tiefe Schatten. Und doch …

Eiskalt. Seine Augen sind eiskalt. Und sehr zornig.

»Ihr habt uns Schwierigkeiten gemacht, du und deine kleinen Freunde«, sagte er. Sein amerikanischer Akzent war kaum hörbar, seine Stimme sanft. Dags schickte ein Stoßgebet zum Himmel, dass er Romeo nicht bemerkte.

»Sie werden bald hier sein, deine Freunde«, sagte Griffith. »Dann könnt ihr eine Unterhaltung haben darüber, wie dumm es war von euch, nicht die Polizei zu sehen. *Very, very stupid.*«

Bergfeld öffnete den Mund, um etwas zu sagen, wurde jedoch von einem heftigen Tritt des Wärters gegen sein Bein daran gehindert. Er stöhnte auf. Griffith lächelte.

Dags überlegte fieberhaft. Hatten seine Leute Guddie und Olaf wirklich erwischt oder log er sie an? Noch einmal versuchte sie in den Augen des Mannes nach der Wahrheit zu forschen, aber wieder stieß sie darin nur auf Kälte und auf eine Leere, die ihr Angst machte.

»Wissen Sie, was Sie sind?«, fragte sie, um die in ihr aufsteigende Panik zu überspielen.

»*Enlighten me, little one.*«

»Ein armes Schwein! Wenn Sie an Oleta Ferris nicht rankommen können, ohne ihr vorher die halbe Welt zu Füßen gelegt zu haben, sind Sie ein armes Schwein – *big one!*«

Selbst auf diese Beleidigung hin war Griffith nicht anzumerken, was er dachte oder empfand. Kein verärgertes Flackern in den Augen, kein zuckender Muskel in seinem Gesicht, kein heftigeres Atmen. Dieser Mann hatte sich völlig unter Kontrolle. Und das war beängstigender, als wenn er sie geschlagen hätte. »Du hältst dich für sehr intelligent, richtig? Für ein, wie sagt man, schlaues Gehirn?«

»Man sagt schlauer Kopf.«

»*Well,* dein schlauer Kopf wird dir nicht mehr lange nützen.« Er beugte sich so tief zu ihr herab, dass sein warmer Atem ihr Gesicht streifte, und seine Worte bohrten sich in ihr Herz wie frisch geschliffene Messer. »Ich werde ihn dir nämlich abreißen. Und ich werde deine Freunde dabei zusehen lassen.«

»Dreckskerl«, flüsterte Bergfeld.

Dags schluckte, als Griffith sich umdrehte und ohne weiteren Kommentar die Zelle verließ. Okay, jetzt hatte er ihr Angst gemacht. Aber wenn sie auch nur einen Augenblick darüber nachdachte, würde diese Angst sie lähmen und jeden klaren Gedanken verhindern.

Dann denk eben nicht darüber nach!

Sie wendete ihre Aufmerksamkeit dem Wärter zu, der mit seinen schweren Stiefeln breitbeinig vor ihr und Bergfeld stand, ohne besonderen Grund, nur um ihre Ohnmacht auszukosten. Wenn der Mann gewusst hätte, dass er so viel leichter zu lesen war als Griffith …

Vorgetäuschtes Imponiergehabe. Innere Unsicherheit. Etwas in seiner Haltung. In seinen Augen. Er genießt es, den großen Macker zu spielen. Eitle Dummheit.

Dags zeigte auf den Schlüssel, den der Mann immer noch um seinen Finger rotieren ließ. »Ist das der Schlüssel zu diesem Loch?«, fragte sie.

Der Wärter grinste. »Allerdings ist das der Schlüssel.« Er musste zu Röhrichers Leuten gehören, denn er sprach Deutsch. Sehr gut …

»Schön, so einen Schlüssel zu haben«, sagte sie.

Michael Bergfeld starrte sie verständnislos von der Seite an. Sie wusste, dass ihre Worte mehr als bescheuert klingen mussten. Doch solange der Zweck die Mittel heiligte, war ihr das herzlich egal.

»Sie würden mir den Schlüssel nicht geben, oder?«, fragte sie den Mann. »Ohne Schlüssel komme ich hier nämlich nicht raus.«

»Ach, wirklich!« Der Wärter warf den Kopf zurück und lachte kurz auf. »Ohne Schlüssel kommt sie hier nicht raus! Da haben wir aber mal einen intelligenten kleinen Gast.«

Und ob du den hast, du dämlicher Sack! Mach schon!

Der Mann ließ den Schlüssel vor Dags' Augen baumeln. »Den Schlüssel hätte sie also gerne, unsere Kleine? Na ja, vielleicht geb ich ihn dir, wenn du schön Bitte, Bitte sagst!«

»Okay«, sagte Dags ungerührt. »Bitte, bitte, geben Sie mir den Schlüssel. Diesen Schlüssel, Schlüssel, Schlüssel.«

Das Grinsen des Wärters erlosch so plötzlich wie ein ausgeblasenes Streichholz. »Das reicht jetzt, du kleine Irre!«

Dunkelheit senkte sich über die Zelle, als er hinausgegangen und die Tür krachend hinter ihm zugefallen war. Es klapperte, als der Schlüssel ins Schloss gesteckt, umgedreht und wieder abgezogen wurde. Ein weiteres Klappern, als er draußen achtlos auf den Tisch geworfen wurde, sich entfernende Schritte …

Sehr gut! Und jetzt …

»Ehm … Kannst du mir erklären, was das sollte?«, fragte Bergfeld.

»Gleich«, sagte Dags. Wenn bloß nichts schiefging … Wenn Romeo bloß alles mitgekriegt hatte … Sie bugsierte ihn unter ihren Locken hervor und streichelte ihm das weiche Fell.

»Sie haben ihn noch nicht gesehen, aber ich hab einen guten Freund dabei. Eine Ratte, die uns jetzt den Schlüssel besorgen wird.«

»Eine Ratte?«

»Mein Partner.« Sie setzte Romeo zu Boden, direkt vor den Spalt im Türrahmen. Die kleinen, vertrauensvollen Knopfaugen glühten wie schwarze Kohlestücke, als ein Lichtstrahl darauffiel. »Ich hoffe, du hast dir gemerkt, wie das Ding aussieht, du Herzchen«, flüsterte sie. »Lauf und hol uns den Schlüssel! Den Schlüssel, hörst du? Schlüssel!«

Romeo trippelte unentschieden auf der Stelle. Er hob witternd die Nase und sog die Luft ein. Und dann tat er etwas, das er noch nie zuvor getan hatte. Er leckte Dags über einen Finger. Sie fühlte die raue kleine Zunge auf der Haut, kaum spürbar und kurz wie ein Augenzwinkern. Dann hatte Romeo sich durch den Spalt in der Tür gezwängt und war verschwunden.

»Und jetzt?«, flüsterte Bergfeld.

»Warten wir ab, was passiert.« Dags stand auf und

presste ein Ohr gegen die Tür. Sie versuchte Romeo mit ihren Gedanken durch den angrenzenden Raum zu lenken, stellte sich vor, wie er schnüffelnd über den Boden huschte, wie er auf den Stuhl kletterte und von dort auf den Tisch sprang, wo er die rote Kordel in die Schnauze nahm.

Den Schlüssel, Romeo!

Sie hielt erschrocken die Luft an, als aus dem Raum hinter der Tür ohrenbetäubendes Poltern ertönte und ein Stuhl umkippte, gefolgt von Scheppern und Klirren. »Eine Ratte!«, brüllte eine Stimme. »Eine verdammte Ratte!«

Wo war der Wärter hergekommen?

Ein tonnenschweres Gewicht stürzte auf Dags herab und riss ihr Herz mit sich zu Boden. Ein weiteres Poltern, gefolgt von einer Sekunde absoluter Stille – und im nächsten Moment erklang ein entsetzliches Knirschen, dem Knirschen folgte ein lang gezogenes, schmerzerfülltes Fiepen und sie sah mit schrecklicher Klarheit die Stiefel des Wärters vor sich, die Stiefel, die schweren Stiefel …

»Scheißvieh!«, dröhnte die Stimme.

Etwas knackte. Das Fiepen brach abrupt ab. Und dann hörte Dags die Schreie eines Mädchens. Es war ein lautes, gellendes, verzweifeltes Kreischen, das nicht mehr aufhören wollte, niemals wieder, das die Luft in Glas verwandelte und in tausend Scherben zersplittern ließ.

»Romeo! Romeo! Romeoromeoromeooooo!!!«

Kapitel 16
... und unsterblich

Olaf betrachtete fasziniert das Farbenspiel auf Guddies Gesicht. Ihre Züge wurden abwechselnd in zuckendes blaues und orangerotes Licht getaucht, das von außen durch die Fenster des Krankenwagens fiel. Wären da nicht die verräterischen hellen Spuren gewesen, die von ihren Augen bis hinab zu den Mundwinkeln liefen, es wäre kaum aufgefallen, wie schmutzig sie war.

»Die machen da draußen die Nacht zum Tag«, sagte Guddie leise. »Und alles nur wegen uns.«

Olaf nickte. Irgendwie war ihm jedes Zeitgefühl abhandengekommen. Er wusste nicht, wie lange die Feuerwehr dazu benötigt hatte, ihn aus dem Kolk zu bergen, weil er erst hier im Krankenwagen wieder zu sich gekommen war. Aber er erinnerte sich daran, Guddie zuvor alles erzählt zu haben, was er ihr erzählen wollte. Und sie war immer noch bei ihm. Sie hielt sogar seine Hand.

»Was ... ist das?« Er musterte den Verband um ihren linken Arm, der vom Handgelenk bis über den Ellbogen reichte.

»Nur zerkratzte Haut.« Ihr Lächeln geriet etwas schief. »Dich hat's schlimmer erwischt.«

Ja, das hatte ihm der Arzt schon gesagt – oder wer immer der Mann gewesen war, der ihn hier im Rettungswagen an den Infusionstropf gehängt hatte, aus dem eine farblose Flüssigkeit über einen Plastikschlauch in seinen rechten Arm floss. Sein linker Arm war doppelt gebrochen, möglicherweise auch eine Rippe, und er hatte überall Prellungen. Seltsamerweise spürte er fast keine Schmerzen. Nur Durst.

»Wo ist der … der Arzt?«, fragte er.

Ein Grinsen huschte über Guddies Gesicht, bevor sie sich auf die Lippen biss und über ihre Schulter hinweg nach hinten deutete. »Er und der Fahrer kümmern sich gerade um den Nachtwächter vom Neuen Museum. Ein kleiner Schwächeanfall.«

Olaf stützte sich umständlich auf den rechten Arm und sah durch die offen stehende Heckklappe des Wagens nach draußen. Flackerndes Blaulicht tanzte über die Außenwände des Alten und des Neuen Museums, ohne dass er die dazugehörigen Wagen orten konnte. Mindestens fünf oder sechs Polizisten und eine ganze Reihe weiterer Leute in Zivilklamotten liefen hektisch herum oder standen in kleinen Gruppen beisammen. Zigaretten glühten auf und von irgendwo ertönten verzerrte Stimmen aus einem Funkgerät.

»Sie haben alle erwischt«, sagte Guddie. »Nur Griffith nicht. Kann sein, dass die Polizei noch was von dir will.

Mich haben sie jedenfalls ganz schön gelöchert. Und der Arzt wird bestimmt auch noch nach dir sehen, bevor du ins Krankenhaus gebracht wirst.«

Olaf nickte und ließ den Kopf erschöpft zurück auf das Kinn sinken, hob ihn jedoch gleich wieder an, als jemand zu ihnen in den Wagen stieg und dabei einen Schwall klarer Nachtluft mit sich brachte. Es war nicht der Arzt. Der Mann trug eine Lederjacke, er hatte stoppelige schwarze Haare und um seinen Hals hing eine Kamera.

»Danke, dass du … gekommen bist.«

»Mann!« Bernd Wörlitzer grinste und bückte sich, um sich den Kopf nicht an der Decke anzustoßen. »Ich lass mir doch nicht die Story des Jahres entgehen! Exklusive Fotos, und ich verspreche euch, diesmal gibt es Abzüge! Wie fühlst du dich? Die Birne noch intakt?«

»Benebelt«, flüsterte Olaf. »Oder so ähnlich.«

»Hey, das wird schon wieder.«

Die Worte klangen nicht einfach so dahingesagt. Sie klangen wie die Worte eines Menschen, der sich Sorgen um einen Freund macht. Olaf lächelte.

»Okay, wir haben nicht viel Zeit.« Bernds Gesicht wurde ernst. »Die Bullen werden gleich losfahren, um eure Freundin zu suchen. Sie warten nur noch auf ihre Eltern.«

»Dags … Wo ist sie?«

»Im Westhafen. Sie haben schon einen Wagen vorgeschickt.«

»Griffith hat Dags mitgenommen«, erklärte Guddie.

»Röhricher hat vor ein paar Minuten ausgepackt. Ihn selbst haben sie gerade noch erwischt, bevor er sich aus dem Staub machen konnte.«

Ohne seine Hand loszulassen, schob sie sich ein Stück zur Seite, so dass Olaf an ihr vorbei auf die Straße blicken konnte. Wenige Meter von ihnen entfernt, umgeben von drei Polizeibeamten, stand, mit gesenktem Kopf und hängenden Schultern, Helmut Röhricher. Nichts war von der Selbstsicherheit des Mannes übriggeblieben, der noch vor zwei Tagen bei der Schiffstaufe im Treptower Park die Menschen begeistert hatte.

Bernd holte einen Kaugummi aus der Jackentasche, wickelte ihn aus und steckte ihn sich in den Mund. »Ich hätte nicht übel Lust, dem Kerl die Fresse zu polieren«, sagte er und schüttelte angewidert den Kopf.

»Hat Guddie … hat sie dir alles erzählt?«

»Ja.« Das Killerlächeln blitzte auf. »Ihr habt mir einen ganz schönen Schrecken verpasst … und einen Haufen Schuldgefühle. Wenn ich auf Zack gewesen wäre, hätte ich gleich gemerkt, dass ihr Kids nicht ganz sauber wart.«

»Ich weiß, ich … hätte es dir sagen sollen«, sagte Olaf beschämt. »Als ich bei dir war. Es tut mir leid.«

»Ist längst gegessen.« Bernd streichelte ihm mit einer kühlen Hand über die Stirn und durch die Haare. »Aber bevor ihr das nächste Mal die Museumsinsel auf den Kopf stellt und unter der Erde rumkriecht, sagt mir Bescheid.«

»Okay.«

Wieder ein Luftschwall und wieder war es nicht der Arzt, der den Wagen bestieg. Der Polizist, ein junger Mann Anfang zwanzig, schob verlegen seine Mütze zurück und kratzte sich am Kopf. »Die Eltern des Mädchens sind immer noch nicht da und wir können nicht mehr länger warten.« Er zögerte kurz, sah von Guddie zu Bernd und wieder zurück zu Guddie. »Wir brauchen jemanden, der nötigenfalls eine Identifizierung vornehmen kann.«

»Wir kommen sofort.« Bernds Lächeln konnte Olaf nicht darüber hinwegtäuschen, wie groß seine Sorge war, dass Dags, die er nicht einmal kannte, etwas passiert sein könnte.

Ach, Dags …

»Deine Eltern sind übrigens auch auf dem Weg hierher«, sagte Guddie, als der Beamte aus dem Wagen geklettert war. Sie hob bedauernd die Schultern. »Das ist dir vielleicht nicht recht, aber die Polizei hat eure Adresse in deinem Portemonnaie gefunden und sie verständigt.«

Olaf hob die rechte Hand und winkte schwach ab. Er wollte jetzt nicht über seine Mutter und seinen Vater nachdenken. Er wollte an gar nichts denken. Auch nicht an die Stimme in seinem Kopf …

In der Dunkelheit und Kälte des Kolks, während Guddie unterwegs gewesen war, um Hilfe zu holen, als er gedacht hatte, er müsse vielleicht sterben, hatte er vergeblich darauf gewartet, dass die Stimme sich meldete und ihn verhöhnte. Sie war verstummt. Olaf hoffte, für immer.

Er fühlte Guddies warme Hand. Bleierne Müdigkeit senkte sich auf ihn herab. »Wenn ihr Dags gefunden habt … kommt ihr dann ins Krankenhaus?«, fragte er.

»Klar«, sagte Guddie. »Oder denkst du, ich würde dich allein lassen, damit du da mit einer Krankenschwester anbändeln kannst?« Sie drückte seine Hand etwas stärker.

»Ziehen wir ab, hmm?« Bernd klopfte Guddie auf die Schulter. Seine Stimme wurde seltsam undeutlich, er und Guddie schienen zu zerfließen. »Wenn wir Dags gefunden haben und alles vorbei ist, werdet ihr berühmt werden.«

… und unsterblich, dachte Olaf, bevor er in einer warmen Dunkelheit versank, in der keine Stimme auf ihn wartete und keine Angst. Nur Ruhe.

$$\wedge\!\!\wedge$$

»Nicht gerade die Ecke, in der man nachts freiwillig spazieren geht«, sagte Bernd Wörlitzer leise neben Guddie.

Die gigantische Hafenanlage umarmte das schwarze Wasser der Spree wie ein Krake. Mehrstöckige Lagerhäuser wuchsen zwischen Lagerhallen empor, die aussahen wie auf der Seite liegende, fensterlose Wolkenkratzer. Hohe, matt schimmernde Ladekräne ragten wie stählerne Fäuste in den Himmel. Nur hier und da spendete eine Außenlampe kränkliches fahlgelbes Licht.

»Unheimlich«, stimmte Guddie geistesabwesend zu. Mit jedem Meter, den der Streifenwagen über den holprigen

Kai zurücklegte, wuchs ihre Sorge um Dags und drückte sie tiefer in den Rücksitz des Wagens. Sie betrachtete die zu ihrer Rechten vertäuten kleineren Frachter und flachen Lastkähne, die still auf dem glatten Wasser lagen ... und ihr Herz schlug schneller, als sich vor ihnen die alles überragenden Umrisse eines Containerschiffes aus der Dunkelheit schälten. Es war weit und breit das einzige Schiff seiner Größe. Meterlange Rostspuren liefen an seinen schmutzig weißen Bugwänden herab. Griffiths Schiff. Irgendwo im Bauch dieses riesigen Untiers musste Dags gefangen sein.

Sie waren noch zwanzig Meter von dem Containerschiff entfernt, als die Scheinwerfer des Streifenwagens einen grün-weißen Polizeibus und eine Ambulanz erfassten, die vor dem Schiff auf dem Kai parkten. Eine Gruppe Polizisten und zwei Sanitäter standen davor, unbewegt, fast wie Schaufensterpuppen. »Worauf warten die?«, fragte Guddie ungeduldig.

»Auf die Wasserschutzpolizei«, murmelte der Polizist auf dem Beifahrersitz angespannt.

Es waren die letzten Worte, die Guddie hörte, bevor die Welt sich in ein Tollhaus verwandelte. Es knackte und eine unverständliche Stimme, begleitet von atmosphärischem Rauschen, ertönte aus dem Funkgerät des Streifenwagens. Der Fahrer horchte auf, schnappte sich das Mikrofon und bellte etwas zurück. Dann quietschten Bremsen und die beiden Polizisten hechteten aus dem Wagen in die Nacht.

»Keiner hat was von Sitzenbleiben gesagt!« Bernd Wörlitzer umklammerte mit einer Hand seine Kamera und drückte mit der anderen hastig die Wagentür auf. »Komm schon!«

Guddie sprang hinter ihm auf den Kai und schreckte zusammen, als Motoren aufdröhnten. Wie aus dem Nichts war plötzlich ein Polizeiboot aufgetaucht und schoss durch das Hafenbecken. Die Luft erzitterte unter brüllenden Lautsprecheransagen, gleitende Scheinwerfer zerschnitten die Nacht und huschten suchend über das Wasser, von allen Seiten erklangen aufgeregte Schreie, als die Polizisten sich in Bewegung setzten und auf das Schiff stürzten.

Guddie hatte alle Mühe, Wörlitzer auf den Fersen zu bleiben. Sie prallte ihm in den Rücken, als sie das Containerschiff erreicht hatten und der Fotograf wie angewurzelt stehen blieb. »Mein Gott!«, flüsterte er.

Er hatte den Kopf gehoben und starrte nach oben. Über ihnen, am Bug des Schiffes, kletterte eine kleine Gestalt auf die Reling, ein winziger Scherenschnitt vor dem bewölkten, düsteren Nachthimmel. »Das ist Dags!«, schrie Guddie.

Im nächsten Moment hatte Dags sich abgestoßen und wirbelte durch die Luft. Wörlitzer riss automatisch seine Kamera hoch und drückte auf den Auslöser. Ein Blitzlichtgewitter begleitete Dags, die wie ein Stein nach unten schoss, die Arme hoch über den Kopf erhoben, als halte sie etwas in den Händen. Eine Fontäne spritzte auf, als ihre Füße die Wasseroberfläche durchbrachen.

»Da ist noch einer!«, rief Wörlitzer. »Ein Mann!«

Ein zweiter Schatten segelte an der Bordwand des Schiffes vorbei und klatschte unweit des Polizeibootes auf das Wasser. Das Boot drosselte sofort seine Fahrt, um den um sich schlagenden, prustenden Mann an Bord zu hieven. Wörlitzer schoss ein Bild nach dem anderen.

Guddie hatte nur Augen für Dags. Getragen von den Wellen, die das Polizeiboot verursacht hatte, paddelte sie auf den Kai zu. Etwas turnte auf ihrem Kopf herum, ein schwarz-weißes Knäuel, das sich mit gespreizten Beinen in ihre Haare krallte, und über das Schwappen der Wellen hinweg vernahm Guddie ein aufgeregtes, zeterndes Fiepen.

»Romeo!«, flüsterte sie.

Das Polizeiboot beschrieb eine sanfte Kurve und tuckerte hinter Dags her, aber sie hatte schon die ersten Stufen einer in die Kaimauer eingelassenen Leitertreppe ergriffen und kletterte daran nach oben. Dann stand sie vor Guddie, klatschnass, triefend und fluchend.

»Frag mich jetzt bloß nicht, warum ich da runtergesprungen bin«, japste sie. »Dann frag ich dich nicht, warum ihr erst jetzt gekommen seid! Wir sind tausend Treppen rauf- und runtergelaufen und wussten überhaupt nicht, wo vorne und wo hinten ist auf diesem blöden Scheißdampfer! Also haben wir den kürzesten Weg genommen.«

»Der Mann, ist das …?«

Glänzende Wassertropfen regneten auf den schmutzigen, von Unrat und Ölflecken bedeckten Kai herab, als Dags nickte. »Dein Mann im grauen Anzug. Michael Bergfeld.« Sie senkte den Kopf und griff nach Romeo. »Du ruinierst mir die Haare, Herzchen.«

»Da gibt's nicht mehr viel zu ruinieren.« Guddie lachte, mehr aus Erleichterung als über Romeo, der protestierend schniefte und vergebens versuchte sich in dem Gewirr aus nassen braunen Locken das Fell auszuschütteln. Sie half Dags, Romeo zu befreien, und ließ dabei den Blick über den Kai schweifen.

Die erste Woge der Aufregung hatte sich gelegt, obwohl noch immer überall Polizisten umherliefen und Befehle durch die Luft schwirrten. Das Polizeiboot hatte am Kai angelegt und Michael Bergfeld abgesetzt, der von einem der beiden Sanitäter in Empfang genommen wurde. Der andere kam auf Dags zugestürmt und legte ihr eine Decke um die Schultern. »Ab in den Wagen mit dir, Fräulein«, befahl er.

»Kriegen Sie sich wieder ein, mir geht's gut!«, schnaubte Dags. »Keine Commotio, keine Hypothermie. Das Einzige, was ich brauche, ist ein Klo und fünf Minuten Zeit, um mit meiner Freundin zu reden.«

»Zum Wagen!«, knurrte der Sanitäter. »Sonst lasse ich dich holen und auf einer Trage festbinden, klar?« Er machte auf dem Absatz kehrt und marschierte davon.

»Pappnase!« Dags verdrehte die Augen und stapfte, gefolgt von Guddie, langsam hinter ihm her. Es quietschte und bei jedem Schritt schwappte Wasser aus ihren Turnschuhen. »Sind meine Eltern hier?«, fragte sie.

»Keine Ahnung. Die Polizei hat sie sofort angerufen, aber sie haben es nicht mal bis zur Museumsinsel geschafft.«

»Klasse.« Dags grinste. »Wenn Paps am Steuer sitzt, sind sie inzwischen garantiert irgendwo an der polnischen Grenze angekommen.« Sie sah sich suchend um. »Wo ist Olaf?«

»Im Krankenhaus.«

»Was?«

Guddie gab ihr eine kurze Zusammenfassung dessen, was geschehen war. Dags schüttelte mehrfach den Kopf und biss sich betreten auf die Lippen, blühte aber sofort wieder auf, als sie erzählte, wer Bergfeld war und wie sie vom Schiff entkommen waren.

»Romeo hat uns den Schlüssel besorgt! Es gab mordsmäßigen Lärm und eine Tote, eine harmlose Bordratte, das arme Vieh, und ich dachte schon …« Eine steile Falte erschien auf ihrer Stirn und sie holte tief Luft. »Jedenfalls kam er kurz danach zurück, den Schlüssel in der Schnauze. Bergfeld und ich waren kaum aus unserem Loch draußen, als wir auch schon diesen völlig verblödeten Gorilla am Hintern hatten.«

Sie zeigte auf einen Mann in klobigen Armeestiefeln, der gerade von Polizeibeamten vom Schiff geführt und in den Polizeibus verfrachtet wurde. Bernd Wörlitzer tanzte mit seiner Kamera um ihn herum wie ein Irrwisch.

»Viel Lärm um fast nichts«, flüsterte Guddie enttäuscht. »Griffith ist nicht dabei.«

»Ist wahrscheinlich zu seiner Oleta Ferris geflüchtet und heult sich bei ihr aus.« Dags nieste und wickelte die Decke etwas fester um sich. »Den kriegen sie schon noch, diesen widerlichen … *Kopfabreißer*.« Das Wort klang, als hätte sie ihren Bestand an Schimpfworten um eine recht merkwürdige Variante erweitert.

Vor dem Rettungswagen blieben sie stehen. Eine leichte Brise trieb Staub über den Kai und wehte Guddie ein paar Haare ins Gesicht. »Willst du nicht mit Bergfeld reden?«, fragte Dags.

Guddie warf einen schüchternen Blick in den Wagen, in dem Michael Bergfeld von einem der Sanitäter versorgt wurde. Er hatte die Augen geschlossen und bemerkte sie nicht. Der Anblick der blassen, völlig abgezehrten Gestalt schnürte ihr das Herz zusammen. Sie hätte ihn kaum als den Mann im hellgrauen Anzug wiedererkannt, den sie vor wenigen Tagen zum Pergamonmuseum verfolgt hatte. Es kam ihr vor, als wären seitdem Jahre vergangen.

»Später vielleicht«, murmelte sie. »Ich will erst mal mit Wörlitzer zurück ins Krankenhaus, zu Olaf. Und dann müsste ich eigentlich zu meiner Mutter.« Sie sah zerknirscht zu Boden. »Ich hab ein ziemlich schlechtes Gewissen, weil ich ihr von nichts erzählt habe.«

»Dafür ist es heute sowieso zu spät. Und für einen Herzinfarkt reicht es immer noch, wenn du es morgen tust«, bemerkte Dags trocken. »Also, wir sehen uns im Krankenhaus. Da kannst du mir dann auch euren Fotografen vorstellen.« Sie zeigte auf Bernd Wörlitzer, der vor dem Containerschiff mit einem der Polizisten sprach. »Bist du sicher, dass bei diesem Schnuckel nichts zu machen ist?«

»Vielleicht, wenn du dir einen Bart wachsen lässt?«

»Schade eigentlich.« Dags wollte sich umdrehen, aber Guddie legte ihr eine Hand auf die Schulter.

»Dags?«

»Hm?«

»Wir haben es geschafft, oder?«

Dags hob den Kopf und sah in den Himmel. Als sie ihn wieder senkte, sah Guddie ein strahlendes, gelöstes Lächeln. »Das haben wir«, sagte Dags. »Alle vier.« Sie drückte Romeo einen Kuss auf die Nasenspitze, stieg in den Rettungswagen und zog die Hecktür hinter sich zu.

»Hey!« Guddie drehte sich um und sah Bernd Wörlitzer auf sich zulaufen. »Kommst du zum Streifenwagen? Die Polizei bringt uns zum Krankenhaus.«

»Gleich«, sagte Guddie.

»Ende gut, alles gut, was?«, grinste er.

»Ja. Ende gut, alles gut.«

Sie sah ihm nach, als er davonging, dann betrachtete sie nachdenklich die glänzenden Pfützen, die Dags auf dem Kai hinterlassen hatte. Wörlitzer hatte Recht, sie alle waren noch einmal, mehr oder weniger glimpflich, davongekommen. Ihr Blick fiel auf den Rettungswagen, hinter dessen von innen erleuchteten Milchglasscheiben sich die Konturen von Dags und die des Mannes im hellgrauen Anzug abzeichneten. Michael Bergfeld. Seltsam, dachte sie, als der Wagen sich in Bewegung setzte und langsam an den dunklen Lagerhallen entlangfuhr. Warum hatte dieser Mann sie bloß an ihren Vater erinnert?

»Guddie?« Bernd Wörlitzer stand am Streifenwagen und hielt einladend die Tür auf.

»Ich komme«, rief sie.

Unterwegs hielt sie die Nase fest ans Fenster gepresst, fasziniert von dem draußen an ihr vorbeigleitenden Leben. Es war mitten in der Nacht, aber Berlin lebte und vibrierte, in einem Wirbel aus bunten Lichtern, taumelnden Farben und musikalischem Lärm. Der Blick in das riesige Kaleidoskop berührte Guddie wie Magie. Berlin war ein Riese, der gutmütig und bösartig, von anziehender Schönheit und von abstoßender Hässlichkeit zugleich sein konnte, und zum ersten Mal begriff sie sich als einen Teil dieser Stadt.

〰〰

Die beiden dünnen Ärmchen von Mickymaus zeigten vier Uhr dreiundfünfzig an, als Dags sich im Bademantel auf ihr Bett setzte, frisch geduscht, umgeben von einer

Wolke teuren Parfüms, das sie im Regal ihrer Mutter entdeckt und sich großzügig hinter die Ohren geschmiert hatte. Sie fand, diesen Hauch von Luxus habe sie sich verdient.

Romeo rümpfte missbilligend die Nase. Er hockte auf ihrem Schoß, und während sie ihn mit einer Hand streichelte, entfernte sie mit der anderen das Papier von der Tafel Schokolade, die ihr Vater für sie auf dem Nachhauseweg bei einer Tankstelle mit Nachtservice gekauft hatte. Kein Laut störte die Ruhe, die über ihrem Zimmer lag, keine Ärzte, keine Polizei, keine besorgten Eltern …

Nur die eine oder andere Zwischenfrage einwerfend, hatten Herr und Frau Kreuzer zugehört, als Dags auf der Heimfahrt ihre Geschichte erzählte. Es hatte keine Strafpredigt gegeben, keine Belehrungen, nichts. Dags hatte sogar das Gefühl gehabt, ihr Vater sei ein wenig stolz auf sie und wage es bloß nicht, diesem Stolz Ausdruck zu verleihen, weil ihre Mutter mit rot geränderten Augen und einem aufgeweichten Taschentuch neben ihm gesessen hatte.

»Hier, du Herzchen.« Sie hielt Romeo ein Stück Schokolade unter die Nase. Er machte sich nicht die Mühe, herumzutanzen, sondern raspelte sofort drauflos. Zu geschafft, dachte Dags und wurde sich erst jetzt der Müdigkeit bewusst, die in ihren eigenen Gliedern steckte.

Sie dachte an Olaf, den sie im Krankenhaus in seinem Zimmer aufgesucht hatte, nachdem sie endlich ihren Ärzten entkommen war. Dass er tief und fest schlief, hatte ihr nicht gepasst, weil sie sich für alles, was fehlgelaufen war, am liebsten sofort bei ihm entschuldigt hätte. Nun, sie *hatte* sich entschuldigen müssen, wenn auch nicht bei ihm …

Olafs Eltern waren, nachdem sie ihn auf der Museumsinsel nicht mehr angetroffen hatten, endlich im Krankenhaus aufgetaucht – seine Mutter eine gut aussehende, wenn auch völlig verheulte Frau, der es offensichtlich peinlich war, dass sie die Fassung verloren hatte; sein Vater ein hochgewachsener Mann mit grau melierten Schläfen, der irgendwie den Eindruck gemacht hatte, als wäre er nicht ganz bei der Sache. Dann waren Herr und Frau Kreuzer eingetrudelt, die sich *nicht* verfahren hatten, denen aber unterwegs das Benzin ausgegangen war. Im Verein mit Dags, Guddie, Bernd Wörlitzer und zwei Polizisten hatten sich alle Parteien innerhalb von Sekunden gegenseitig angegiftet und das Krankenzimmer in ein Irrenhaus verwandelt. Fragen, Anschuldigungen und Beleidigungen waren hin und her geflogen wie Tontauben, auf die ein durchgedrehter Schütze mit einem Maschinengewehr schoss.

Olaf hatte währenddessen selig weitergeschlafen, eingegipst, zerschrammt und verbunden, mit einem feinen Lächeln in seinem Gesicht, das Dags in diesem Moment doch wieder ganz attraktiv gefunden hatte. Allerdings hatte Guddie bei ihm auf dem Bettrand gesessen, seine

Hand gehalten und dabei nicht den Anschein erweckt, als wollte sie ihn in naher Zukunft wieder loslassen.

»Nimm noch eins.« Sie hielt Romeo ein zweites Stück Schokolade unter die Schnauze. Als er es nicht annahm, steckte sie es sich selber in den Mund.

In dem allgemeinen Gebrüll, von dem das halbe Nachtpersonal des Krankenhauses angelockt worden war, um so das Chaos vollends perfekt zu machen, hatte sie eher am Rande mitbekommen, dass die Polizei Griffith tatsächlich im Kempinski aufgespürt und verhaftet hatte. Mehr wusste sie nicht, aber das genügte ihr auch. Es wurmte sie immer noch, dass dieser Mann es geschafft hatte, sie so zu verunsichern, dass sie in Panik geraten und unachtsam geworden war. Sie hatte Romeos Leben aufs Spiel gesetzt …

»Ich war richtig hysterisch wegen dir«, murmelte sie und drückte Romeo an ihre Brust. »Eine völlig neue Erfahrung. Etwas erschreckend. Aber jetzt ist wieder alles bestens.«

Vielleicht nicht ganz. Sie war wütend auf sich selbst, weil sie Griffith nicht durchschaut hatte.

Sie werden bald hier sein, deine Freunde …

Wie leicht es für ihn gewesen war, darauf zu kommen, dass weder sie noch Olaf oder Guddie vor ihrem Abenteuer die Polizei verständigt hatten – warum sonst schließlich wären sie ohne Begleitschutz allein im Museum aufgekreuzt? Sie hatten Griffiths Stolz verletzt, seine Eitelkeit und seine maßlose Arroganz. Und deshalb hatte er das Spiel noch weitergespielt und sie eingeschüchtert, als er längst schon gewusst hatte, dass es für ihn nichts mehr zu gewinnen gab.

Den Kopf abreißen ...

»Dieser Mistkerl«, flüsterte Dags. »Ich hasse schlechte Verlierer.«

Ja, Griffith hatte verloren und morgen würde sie diesen Triumph richtig auskosten. Aber eine Weile hatte es so ausgesehen, als würden der Modezar und Röhricher gewinnen. Vielleicht hatte Hermes, der Beschützer der Diebe, den beiden Männern tatsächlich beigestanden ... für eine Weile. Aber Hermes war auch der Gott der Verständigung. Hätten Guddie, Olaf und sie sich nicht kennengelernt und trotz der Schwierigkeiten im Umgang miteinander zusammengehalten, wären Griffith und Röhricher erfolgreich gewesen.

»Hermes, mein Süßer«, murmelte Dags. »Vielleicht solltest du dich das nächste Mal etwas früher für die eine oder die andere Seite entscheiden.«

Sie setzte sich Romeo auf die Schulter, ging zum Schreibtisch und kramte eine volle Packung Käsecracker aus einer der Schubladen. Dann ging sie zur Fensterbank und schüttete den Inhalt der gesamten Packung in den kleinen Rattenkäfig. »Pass auf deine Leber auf«, flüsterte sie. Sie ließ Romeo an ihrem Arm herab in das Schlaraffenland laufen und lauschte dem zufriedenen Knuspern.

»Dags?«

»Hm?« Sie drehte sich um und sah ihre Mutter in der Tür stehen.

»Geht's dir gut?«

»Bestens.«

Frau Kreuzer kam auf sie zu und nahm sie in den Arm. Dags roch ihren vertrauten Geruch und schloss die Augen, während ihre Mutter sie schweigend hin und her wiegte.

»Ich mache mir Sorgen«, sagte Frau Kreuzer leise. »Dein Vater ist schon zu Bett gegangen, aber ich sitze drüben im Wohnzimmer und überlege, was ich falsch gemacht habe. Wir hätten in Urlaub fahren müssen und, na ja … In Zukunft werde ich mich mehr um dich kümmern. Das versprech ich dir.«

»Du hast nichts falsch gemacht. Ich war einfach neugierig.« Dags überlegte. »Und vielleicht werde ich langsam erwachsen und treffe meine eigenen Entscheidungen.«

»Wenn ich vorhin alles richtig verstanden habe, was du erzählt hast, waren deine Entscheidungen in diesem speziellen Fall nicht immer besonders weise.«

»Ich bin lernfähig.«

»Das habe ich nie bezweifelt, Fräulein Einstein.« Frau Kreuzer löste die Umarmung. Sie lächelte, strich Dags eine Locke aus der Stirn und zeigte auf den Parkettboden, auf dem seit Tagen das labyrinthische Chaos herrschte.

»Und falls du dich morgen erwachsen genug fühlst, um dein Zimmer aufzuräumen …«

»Ja, ja!«

»Schön. Dann schlaf jetzt gut.«

»Du auch.«

Als ihre Mutter das Zimmer verlassen hatte, trat Dags ans Fenster. Die Nacht war beinahe vorüber, der Himmel über den Dächern der Häuser tauschte sein verblassendes Blau bereits gegen ein zartes Rosa ein. Unten streunte ein einsamer Hund über den Gehsteig und am Ende der Straße tauchte soeben der Zeitungsausträger auf.

Sie warf einen letzten Blick in den Käfig auf der Fensterbank, bevor sie die Vorhänge zuzog. Romeo hatte sich in einem Nest aus Käsecrackern zusammengerollt und schlief. Sein schwarz-weißes Fell hob und senkte sich regelmäßig, und ab und zu zuckte seine Schwanzspitze.

»Gute Nacht, Partner«, flüsterte Dags.

Sie zog den Bademantel aus und ging zur Tür, um das Licht auszuschalten. Auf halbem Weg überlegte sie es sich anders, machte kehrt und kletterte auf ihr Bett. Auf den Zehenspitzen balancierend streckte sie die Arme der Decke entgegen und nahm das Mobile mit den kleinen Bären ab. Sie musste etwas kräftiger daran ziehen, bis der silberne Faden, an dem es aufgehängt war, endlich zerriss. Dann purzelten die Bären auf die Bettwäsche, winzige pelzig braune Figuren, deren gutmütige Schnauzen ein immer währendes Kinderlächeln umspielte.

Was ist das für ein Spiel?
Ein Rückblick auf den »Beschützer der Diebe«

Manche Ideen liegen auf der Straße. Oder irgendwo darunter. Den ersten Baustein zum *Beschützer der Diebe* entdeckte ich in der Berliner U-Bahn. Da saß mir ein Mädchen gegenüber, zwölf Jahre alt vielleicht, mit verschiedenfarbigen Augen. Eins blaugrün, das andere braun. Sehr hübsch, dachte ich. Ob man mit solchen Augen die Welt aus zwei völlig unterschiedlichen Perspektiven sieht? Und wie mochte der Begleiter des Mädchens die Welt wohl wahrnehmen – diese schwarz-weiß gefleckte Ratte, die auf ihrer Schulter saß?

Das war 1993. Ich lebte seit etwa einem Jahr im Ostteil Berlins, in Friedrichshain. Heute ein angesagter Szenetreff und begehrtes Wohnviertel, zeichnete der Kiez sich damals durch wenig mehr aus als trostlose, graubraune Häuserfassaden, vom Himmel stürzende Balkone und ein paar an die Straßenränder manövrierte Trabiwracks. Während mein Freund als Arzt im Krankenhaus arbeitete, hockte ich daheim am Schreibtisch, lauschte dem gelegentlichen Aufschlag der Balkone auf die Gehsteige und bekam Depressionen. *Nichts wie raus hier!*

Tagtäglich verließ ich das Haus und machte mich auf die Socken, um mir hübschere Ecken der Stadt anzusehen. Ein Jahr Berlin, doch immer noch brachte jeder Tag neue, quicklebendige Eindrücke. An der Nahtstelle zwischen dem alten Osten und dem alten Westen brodelte das Leben. Mittendrin der kleine Steinhöfel, hessischer Provinzimport, der staunend durch die Gegend stapfte – Kopf im Nacken, Himmelsrichtung egal.

Es ist eine Binsenweisheit, dass Schriftsteller das verarbeiten, was sie erleben, was sie nachdenklich macht und manchmal bis in den Schlaf hinein beschäftigt. Oft geschieht das unterbewusst und so bilde ich mir heute ein, schon zu dieser Zeit eine unsichtbare Begleiterin an meiner Seite gehabt zu haben: ein Mädchen, das neu war in Berlin, so wie ich. Deren Eltern sich gerade hatten scheiden lassen, so wie meine.

Am liebsten trieb ich mich bei meinen Streifzügen zwischen den wunderbaren Bauten auf der Museumsinsel herum, und ganz besonders angetan hatte es mir das Pergamonmuseum. Als ich dort zum ersten Mal das Tor von Milet sah, verschlug es mir den Atem, so schön und unwirklich erschien mir das Bauwerk. *So begehrenswert.*

Einpacken.

Mitnehmen.

Fünfzig Leute sollten zum Abtransport ausreichen.

Natürlich würde ich eine größere Wohnung brauchen.

Etwa um diese Zeit fragte der Carlsen Verlag an, ob ich Lust hätte, einen Kinderkrimi zu schreiben.

Kinderkrimi?

Vermutlich wird niemand mir glauben, dass ich bis dahin nie daran gedacht hatte, eine Abenteuergeschichte für Kinder zu verfassen. Nicht etwa dass ich solche Geschichten als Kind ungern gelesen hätte, im Gegenteil. Besonders liebte ich Enid Blytons *Fünf Freunde,* obwohl – oder vielleicht gerade weil – sie so offensichtlich dem Tode geweiht waren: Alle drei Seiten stopften sie sich mit Essen voll, würden also im Alter einen schweren Diabetes entwickeln. Und ich fieberte mit den *Drei Fragezeichen,* auch wenn mir bewusst war, dass man neunmalklugen Typen wie denen im wirklichen Leben bestenfalls hinter den – hoffentlich hohen – Mauern einer geschlossenen Anstalt begegnete. Schwere emotionale Defizite. Jeder dieser Typen war mit weniger Gefühl und Empfindung ausgestattet als der Schaltkasten einer elektrischen Rolltreppe.

Nein, als Kind hatte ich nichts einzuwenden gegen diese Bücher und ihre Helden. Aber dem mittlerweile erwachsenen Autor waren sie zu wenig. Wenn ich tatsächlich eine eigene Abenteuergeschichte verfasste, ging es mir nach der Carlsen-Anfrage durch den Kopf, dann wollte ich mehr: Ich wollte, dass meine Helden deshalb *einen Fall* lösen, weil sie über ihre eigenen Probleme darauf gestoßen werden. Nicht aus purer Abenteuerlust also, sondern weil sie sich aus ganz persönlichen Gründen so tief in die Geschichte verstricken, dass sie *nicht anders können*. Denn sehen wir den Tatsachen mutig ins Auge, liebe Leute: Kinder können zwar unendlich doof sein. Aber so doof, sich freiwillig den halsbrecherischsten Gefahren auszuliefern, sind sie dann doch nicht. Mal abgesehen von den wenigen traurigen Ausnahmen, die auf der Müllkippe in ausgediente Kühlschränke oder Gefriertruhen steigen und die Klappe hinter sich zumachen.

Dann stolperte ich über einen Artikel im *Spiegel*. Von einer Modenschau im Pergamonmuseum war da die Rede, von Berlin als der alten Hauptstadt der *Haute Couture*. Ich horchte auf. Das alles stellte vielleicht eine denkbar dünne Ausgangslage für einen Krimi dar, und doch: das Museum, der Hausvogteiplatz, der daran angrenzende Gendarmenmarkt – waren das nicht wunderbare Schauplätze? Für eine groß angelegte Diebstahlsgeschichte, zum Beispiel ... eine *sehr* große? Denn natürlich gab es nur ein einziges Objekt, das zur Entwendung aus dem Pergamonmuseum in Frage kam. Tatsächlich das Tor von Milet klauen zu lassen mochte auf den ersten Blick völlig aberwitzig und wenig nachvollziehbar wirken. *Very Steven Spielberg.* Aber abgesehen von meiner persönlichen Vorliebe für dieses hübsche architektonische Beutestück könnte ich so die Leser auch ein bisschen in die Irre führen. Sie sollten so lang wie möglich annehmen, dass etwas *Kleines* aus dem Museum gestohlen wird.

Die Idee ließ mich nicht mehr los. Noch besser – viel besser – wurde es, als ich mich in einige Berichte über die Geschichte der Museumsinsel vertiefte, eine Geschichte, die ungefähr so verwickelt war wie ein Dutzend bei Windstärke zehn aus dem Fenster geworfene Luftschlangen. Plötzlich boten sich so unglaubliche Möglichkeiten, dass die Handlung eines Romans sich vor diesem Hintergrund fast von allein ausdachte. Alles, was mir jetzt noch fehlte, war das passende Personal, um diesen Roman zu bevölkern: ein Mädchen mit zwei verschiedenfarbigen Augen und einer abgerichteten Ratte, zum Beispiel. Ein weiteres Mädchen, neu in Berlin, durch dessen Augen der Leser die Stadt betrachten konnte; ein Mädchen, das bei einem harmlosen Spiel einen Mann verfolgt, weil der sie an ihren unerreichbaren Vater erinnert – bis aus dem Spiel plötzlich Ernst wird.

Okay, zwei Mädchen also. Aber da fehlte noch jemand. Warum nicht den beiden einen Jungen an die Seite stellen, einen Jungen, der … der …

Olaf wurde auf gewisse Weise zum Dreh- und Angelpunkt der Geschichte. Zu derjenigen Figur, über die deutlich gemacht wird, warum jemand klaut: nicht deshalb, weil man meint, unbedingt einen überteuerten neuen Markenartikel besitzen zu müssen, irgendein T-Shirt mit einem fetten Logo auf der Brust, das man an Stelle einer eigenen Persönlichkeit trägt und für dessen Hersteller man auch noch unbezahlt Werbung läuft.

Nein, es sollte um jemanden gehen, der *krankhaft* klaut: aus unerwiderter Liebe. Um Aufmerksamkeit zu erregen, um wahrgenommen zu werden.

Alle Bausteine fielen an ihren Platz.

Drei Monate später war das Buch fertig.

In der Regel schreibe ich aus dem Bauch. Ich sammele ein paar Ideen, tippe wild drauflos, und irgendwann fügt das Ganze sich zu einer Geschichte … oder auch nicht. Der Vorteil einer solchen Arbeitsweise besteht darin, dass man offen bleibt für weitere Ideen, die spontan in die Story eingebaut werden können. Der Nachteil ist, dass man sich dabei womöglich unglaublich verzettelt, weil man irgendwann viel zu viele lose Erzählfäden in den Händen hält und keine zufriedenstellende dramatische Struktur mehr in die Sache kriegt.

Beim *Beschützer der Diebe* ging ich ausnahmsweise anders vor. Einen Krimi kann man schlecht aus dem Bauch schreiben. Die Schauplätze müssen genau abgesteckt, jeder Beweggrund der handelnden Figuren, jede ihrer Aktionen will genau überlegt sein. Zauberwort: Timing. Wo sonst meine Figuren während des Schreibens Leben und einen eigenen Charakter entwickeln, musste ich sie jetzt schon, noch bevor der erste Satz getippt war, damit ausstatten.

Guddie und Olaf bereiteten mir keine Probleme. Sie waren rasch skizziert und besaßen von Anfang an eine glaubwürdige Persönlichkeit. Von Dags konnte ich das, unglücklicherweise, nicht behaupten. Mit dieser Figur bin ich bis heute nicht zufrieden. Ich hätte sie gern ein wenig differenzierter dargestellt. Zum Beispiel wollte ich, dass ganz klar wird, wie sehr Dags mit allen Mitteln, vornehmlich also mit ihrer Intelligenz und Klugheit, um die Anerkennung ihrer Eltern kämpft. Sie wollte ernst genommen werden, das war der Motor ihres Denkens und Handelns. Leider sprach sich meine damalige Lektorin – die Frau, die im Verlag meine Bücher betreut – dagegen aus. Guddie und Olaf, meinte sie, hätten schon Probleme genug, da müsste nicht auch noch Dags ... und so weiter. Ich ließ mich beschwatzen. Großer Fehler. Von den drei Hauptfiguren im *Beschützer der Diebe* ist Dags die künstlichste geblieben, sie ist mir zu eitel, nicht unsicher genug. Natürlich mag ich sie trotzdem. Aber nur deshalb, weil sie in meinem Kopf viel mehr Statur hat als das, was letztlich von ihr zwischen zwei Buchdeckeln landete.

In den Leserbriefen, die mich zum *Beschützer der Diebe* erreichen, tauchen regelmäßig zwei Fragen auf. Die eine lautet: *Wer ist das denn nun, der Beschützer der Diebe?* Eigentlich dachte ich das im Buch hinreichend beantwortet zu haben, aber gut: Tatsächlich ist mit dem ominösen Beschützer der antike Gott Hermes gemeint. In der Vorstellungswelt der alten Griechen beschützte Hermes sowohl die Kaufleute wie auch die Diebe – übrigens eine recht interessante Kombination, finde ich. Hermes sorgt aber auch vermittelnd dafür, dass sowohl Götter wie Menschen miteinander reden und einander verstehen. Im Buch verstehen sich Dags, Guddie und Olaf über lange Zeit ziemlich schlecht. Anfangs sind sie sich nur wenig sympathisch, haben Vorurteile, der eine traut dem anderen nicht wirklich ... und bis sie das nicht gelernt haben, schaffen sie es auch nicht, den Fall zu lösen. Es ist Dags, die gegen Ende der Story darüber nachdenkt, dass Griffiths Coup fast gelungen wäre – weil der Gott der Diebe ihn beschützt hat. Doch unbemerkt von Dags hat derselbe Gott auch dafür Sorge getragen, dass für den Modepapst die Sache spektakulär in die Hose ging, indem er die Kinder dazu gebracht hat, sich gegenseitig Vertrauen zu schenken und miteinander zu reden. Jedes Ding hat eben zwei Seiten.

Für mich verbirgt sich auch noch etwas mehr hinter dieser Idee eines Gottes, der die Menschen dazu auffordert, miteinander zu reden. In nahezu all meinen Büchern steckt irgendwer in der Patsche, weil er den Mund nicht aufkriegt, sich der Welt nicht mitteilt, seine Sorgen und Gefühle vor anderen verschließt. Selbst *Dirk und ich,* das vordergründig voller Komik und Slapstick ist, funktioniert nach diesem Prinzip: Komik resultiert, zu einem guten Teil, aus Missverständnissen.

Damit zur zweiten Frage: *Warum spielen Schwule in dem Buch mit? Muss das unbedingt sein?* Das klingt immer ein wenig so, als befürchteten die Fragesteller, sich über das Lesen eines Buches mit einer exotischen Krankheit infizieren zu können. Weshalb es mir immer wieder diebischen Spaß bereitet, die Frage umzukehren: Warum sind nicht *in viel mehr* Büchern Schwule zu finden? Statistisch gesehen sind nämlich etwa zehn Prozent der Bevölkerung schwul oder lesbisch. Was bedeutet, dass jede zehnte Figur in einem Buch das auch sein sollte, könnte oder müsste. Und nun guckt mal in eure Bücher rein und zählt nach: Fünf Freunde, drei Fragezeichen, die Crew aus *TKKG* – macht schon mehr als zehn. Sucht euch einen aus. Und vergesst Pippi Langstrumpf nicht.

Es gab einen weiteren Grund dafür, Bernd Wörlitzer in die Geschichte einzubauen. Ich wollte, dass Olaf über diesen Fotografen, den er anfangs so gar nicht mag, irgendwann seine eigenen Vorurteile und sein eigenes Abweichen von der Norm überprüft. Und ganz nebenher den Leser dazu auffordern, gefälligst dasselbe zu tun. Dazu ein weiteres Rechenspiel, anspruchsvollere Variante: Wählt drei Leute aus eurem Freundeskreis aus. Lasst euch von ihnen ihre Körpergröße sagen. Zählt die drei Maße zusammen, dann teilt sie wieder durch drei. Damit habt ihr das statistische Mittel errechnet, die Norm. Und nun überlegt, welcher eurer Freunde *normal* groß ist. Erstaunlich, oder?

Ende der Übung.

Jeder Leser wartet auf sein ideales Buch. Jeder Autor wartet auf seinen idealen Leser. Warum bestimmte Szenen im *Beschützer der Diebe* nicht weiter ausgebaut wurden, wird häufig gefragt. Oder warum manche Ereignisse gar nicht geschildert sind, obwohl das doch wichtig wäre, andere, vermeintlich unwichtigere, dafür aber sehr ausführlich. Und nicht wenige Leser zeigen sich völlig entnervt davon, dass die Handlung häufig an den spannendsten Stellen abbricht, um dafür an anderer Stelle aufgenommen zu werden.

Da gäbe es viel zu erwidern, aber ich möchte mich auf zwei Ausführungen beschränken. Zum einen steht die Erzählhaltung des *Beschützers* der Schilderung bestimmter Ereignisse schlicht entgegen. Jeder Handlungsabschnitt ist streng auf die Perspektive von Guddie, Olaf oder Dags zugeschnitten. Einen solchen literarischen Kunstgriff, bei dem der Autor sich voll und ganz auf eine einzige Figur, deren Gedanken und Gefühle konzentriert, wird *personales Erzählen* genannt. Dem Leser kann damit eine Figur sehr nahegebracht werden, während man als Autor nahezu völlig hinter sie zurücktritt. Mit dem Effekt, dass der Leser nie das Gefühl hat, der Verfasser der Geschichte wisse mehr als er selbst. Der Nachteil dieser Erzählweise, wendet man sie konsequent an, ist offensichtlich: Es können nur Ereignisse geschildert werden, bei denen eine der Hauptfiguren anwesend ist.

Zum anderen, und damit wären wir bei der Sache mit

dem plötzlichen Handlungsabbruch: Viele spannende Bücher, und noch viel mehr spannende Filme, basieren auf dem sogenannten Prinzip des *Cliffhangers.* Tatsächlich ist das ein Begriff aus der Filmgeschichte. In amerikanischen Kinos liefen früher vor dem Hauptfilm kurze, in wöchentlichem Abstand weitergeführte Miniserien. Die regelmäßig damit endeten, dass der Held in eine offenbar ausweglose, tödliche Gefahr geriet – vielleicht hing er an einer Hand, von tödlichem Absturz bedroht, von einer steilen Klippe herab –, aus der er sich in der nächsten Woche wunderbarerweise dann doch wieder befreite. Die Idee dahinter war ganz einfach, heute ist jede Vorabendserie, ob *GZSZ* oder *Lindenstraße,* danach gestrickt: Damit Sie, lieber Zuschauer, auch nächstes Mal wieder einschalten! Oder damit Sie, lieber Leser, das Buch vor lauter Spannung nicht aus der Hand legen! Ideale Leser tun so etwas nämlich nicht. Wie ideale Leser überhaupt die Lücken, die der Autor bewusst im Text lässt, mit der eigenen Fantasie auffüllen.

Manchmal aber haben die Kritiker eindeutig Recht mit dem Vorwurf, der Autor habe geschlampt. Das Ende im *Beschützer der Diebe* ist zum Beispiel tatsächlich zu kurz geraten. Da ist viel Potenzial verschenkt, ein paar actionreiche Seiten hätten mit einer spannenden Verfolgungsjagd gefüllt werden können, über das Schiff und quer durch den Westhafen. Der banale Grund für diesen Patzer: Damals hatte ich ein Problem mit der rechtzeitigen Ablieferung des Manuskripts an den Verlag (unglücklicherweise habe ich dieses Problem *immer*). Deshalb musste ich, um den Termin einzuhalten, am Schluss eine erzählerische Abkürzung nehmen.

Ich bin für dieses Leben eindeutig zu langsam.

In all meinen Büchern gebe ich einigen Figuren Namen von Freunden und Bekannten. Gudrun und Dagmar, zwei Frauen, die ich bis dahin in noch keiner Geschichte verwurstet hatte, wollten auch mal an der Reihe sein. Ich versuchte, die altmodischen Namen »abzumildern«, indem ich Guddie und Dags daraus machte. Was offensichtlich nicht richtig funktioniert hat, denn vielen Lesern gefallen sie nicht.

Gudrun und Dagmar habe ich das bis heute nicht verraten.

Na, und dann der Titel. Ursprünglich wollte ich das Buch *In der Spree eine Insel* nennen. Damit kam ich natürlich beim Verlag nicht durch. *Nee, Herr Steinhöfel, also nee, so ein verkippter Satz! Umgekehrt klingt es übrigens genauso schlecht:* Eine Insel in der Spree. *Nee, nee. Viel besser wäre doch, also, wir dachten an so etwas wie* Die drei –

Halt!

Ich drohte mit Kündigung. Auf der Stelle. Keine drei Freunde, keine vier, auch keine viereinhalb. Und bleibt mir mit dem treuen Köter vom Leib, dem mit dem lustigen bunt karierten Halstuch. Ein bisschen was Besonderes sollte es schon sein. Etwas Unverwechselbares. Prägnantes.

Mein nächster Vorschlag: *Beschützer der Diebe.* Genial doppeldeutig! Geradezu poetisch! Noch dazu mit dieser gewissen Tiefe ...

Einhellige Begeisterung bei Carlsen.

Stehende Ovationen.

Anerkennendes Schulterklopfen.

Ich war glücklich: *Beschützer der Diebe.*

Tja ...

Bis heute hat kein Mensch den Titel verstanden – siehe oben. Und ich frage mich: Habe ich wirklich etwas falsch gemacht? Zu wenig erzählerische Sorgfalt walten lassen? Oder muss, an die fünfhundert diesbezügliche Leserbriefe später, die deutsche Jugend sich von mir den Vorwurf gefallen lassen, ihr Hirn einfach nicht richtig einzuschalten?

Hallo?

Ihr wollt doch wohl keine tiefe Depression des Autors verschulden, oder? Dann geht's nämlich wieder los – raus aus der Hütte, ab in die Straßen, die Stadt neu erkunden, frische Ideen sammeln, schließlich zurück nach Hause und an den Schreibtisch. PC anwerfen, lostippen: *Die Rückkehr des Beschützers der Diebe. Harry Potter und das Geheimnis des Kolks. Berlin Wars: Angriff der Klondiebe.*

Endlich die von vielen geforderte Fortsetzung.

Der ich hiermit offiziell eine Absage erteile.

Hätte gerade noch gefehlt, dass ich damit anfange, bei mir selber zu klauen.

Was ist aus Guddie, Olaf und Dags geworden? Was hat sich in der großen Stadt, die sie gemeinsam durchstreift haben, seit der Erstveröffentlichung des Buches geändert? Hier das Ergebnis meiner Recherchen:

Guddie hat in Kreuzberg einen Secondhandladen eröffnet, der hauptsächlich Herrenanzüge verkauft. Olaf hält in Jugendbildungsstätten gut bezahlte Vorträge zum Thema *Die Stimme im Kopf – Mein innerer Reichtum*. Dags hat sich bei einem Treffen von militanten Tierversuchsgegnern in einen Mathematikstudenten aus Venezuela verliebt, sie zieht demnächst nach Südamerika. Romeo zierte letztes Jahr als *Kleinsäuger des Jahres* Sondermarken der Deutschen Post, jeweils zwanzig Cent pro Marke gingen an den WWF. Und in der Neuköllner Oper wird öfters eine ältere Dame namens Inge Warlatzke gesichtet, die während der Vorstellungen durch lautes Mitsingen auffällt.

Was Berlin angeht, so hat die Regierung es sich inzwischen in der Stadt gemütlich gemacht. Ost und West sind daraufhin ein bisschen weiter zusammengewachsen, heißt es. Der Potsdamer Platz boomt, dort glänzen abwaschbare Fassaden, aber in den schönen alten Gründerzeit-Häusern am Hausvogteiplatz hat noch immer kein Modemacher Quartier bezogen. Die Museumsinsel erstrahlt in neuem Glanz und bald wird das viel diskutierte alte Stadtschloss an die Stelle des Palasts der Republik treten – schicke Ausgangslage für eine Abenteuergeschichte. Ein paar

Skandale haben die Spreestadt erschüttert, in die dieser oder jener Manager oder Politiker verwickelt war; die Herren wurden mit Einbuchtung im Kolk nicht unter zehn Jahren bestraft. Der Treptower Vergnügungspark wurde geschlossen und rostet langsam vor sich hin. Angeblich auf Grund zweifelhafter Geschäfte seiner Betreiber; vielleicht ist ja im Kolk noch Platz. Ach ja, und die Berliner haben sich inzwischen an einen schwulen Regierenden Bürgermeister gewöhnt.

Gut möglich, dass er in seiner Freizeit gern fotografiert.

Andreas Steinhöfel
Berlin 2006

Ein Bruder kommt selten allein

Wo die Brüder Andreas und Dirk auftauchen, ist bald nichts mehr, wie es war. Ob als Nikoläuse im Altenheim, als Spaghettimonster im eigenen Kinderzimmer oder als Hobbydetektive im Keller des Nachbarn - das Chaos ist vorprogrammiert. Und als auch noch Babybruder Björn hinzukommt, müssen die beiden sofort testen, ob er auch ihre Lieblingskekse mag. Das kann ja heiter werden!

Andreas Steinhöfel
Dirk und ich
144 Seiten
Taschenbuch
ISBN 978-3-551-35127-2

www.carlsen.de

Achtung, jetzt kommen die Schröders!

Andreas Steinhöfel
Paul Vier und die Schröders
160 Seiten
Taschenbuch
ISBN 978-3-551-35743-4

Die »Neuen« sind da! Weil die Schröders alles andere als eine normale Familie sind, ist in der gediegenen Ulmenstraße bald die Hölle los. Denn fast jeden Tag sorgt eins der vier Schröder-Kinder für Ärger und Aufregung in der Nachbarschaft. Nur Paul Walser, genannt Paul Vier, mag die Schröders. Aber auch er muss hilflos mit ansehen, wie sich die Ereignisse dramatisch zuspitzen.

www.carlsen.de

Rico und Oskar

Andreas Steinhöfel
Rico und Oskar, Band 1:
Rico, Oskar und die
Tieferschatten
224 Seiten
Taschenbuch
ISBN 978-3-551-31029-3

Andreas Steinhöfel
Rico und Oskar, Band 2:
Rico, Oskar und das
Herzgebreche
272 Seiten
Taschenbuch
ISBN 978-3-551-31233-4

Andreas Steinhöfel
Rico und Oskar, Band 3:
Rico, Oskar und der
Diebstahlstein
336 Seiten
Taschenbuch
ISBN 978-3-551-31289-1

„Für jemanden, der tiefbegabt ist und ins Förderzentrum geht, weil er einen Kopf wie eine Bingotrommel hat, ist ein Tagebuch die Erfindung des Jahrhunderts."

Das findet jedenfalls Rico, der leicht mal den roten, grünen oder vielleicht den blauen Faden verliert. Und er findet auch, dass Oskar der beste Freund aller Zeiten ist, ob mit oder ohne Helm. Einer, mit dem man Müffelchen essen kann bei Frau Dahling auf dem Plüsch-Sofa. Und natürlich aufregende Abenteuer erleben, voller Tieferschatten, Herzgebreche und mit einem Diebstahlstein.

www.carlsen.de

Von Opern und Monstern

Andreas Steinhöfel
O Patria Mia!
96 Seiten
Taschenbuch
ISBN 978-3-551-31138-2

Gianna liebt italienische Opern und Gruselfilme. Und gestern Nacht, da besteht kein Zweifel, hat sie ein Ungeheuer gesehen, unten am Fluss. Ein großes schwarzes Ungeheuer mit glühend roten Augen! Und es scheint ganz so, als hätte es Hackfleisch aus dem doofen Nachbarsjungen Matze Hellmann gemacht. Aber kann es sein, dass ein echtes Ungeheuer nach Pfefferminzbonbons riecht? Irgendetwas stimmt hier nicht, da ist sich Gianna sicher ...

www.carlsen.de